Grammaire typographique

A. Ramat

4ᵉ édition, mise à jour

ISBN 2-9800113-4-7
Dépôt légal: premier trimestre 1989
Bibliothèque nationale du Québec
Bibliothèque nationale du Canada
Quatrième édition
*Pour recevoir ce livre par la poste, au prix de
13 $ + 1 $ de frais d'envoi, adressez-vous à:*
Aurel Ramat, éditeur
224, avenue Macaulay
Saint-Lambert (Québec)
J4R 2G9
Tél.: (514) 672-4651 (jour)
      (514) 499-1142 (soir)

Libraires, adressez-vous à:
Diffusion sans frontière
17-A, rue Saint-Alphonse
Sainte-Thérèse (Québec)
J7E 1G3
Tél.: (514) 435-1514

Introduction

Je me suis inspiré des règles formulées dans les livres mentionnés dans la bibliographie. Je recommande donc aux lecteurs de consulter ces ouvrages s'ils rencontrent un cas qui n'est pas traité dans ce livre. Quand il y a eu discordance entre les ouvrages que j'ai consultés, j'ai choisi la position de l'*Imprimerie nationale*[1].

Les chapitres de ce livre appartiennent à la typographie. On sait qu'un typographe, Geofroy Tory, a établi les règles de la composition dans son livre *Champ Fleury* en 1529. On sait aussi que la plupart des accents ont été introduits par un typographe, Robert Estienne, qui a rédigé le tout premier dictionnaire comportant tous les mots de la langue française en 1539. Enfin, Étienne Dolet, lui aussi typographe, a proposé la ponctuation méthodique en 1540. L'écriture des nombres, l'emploi des majuscules, les abréviations, tout cela a été étudié et mis au point par des typographes. Toutes ces règles leur appartiennent.

Les exemples de cette édition ont été rédigés tantôt au féminin tantôt au masculin, de la façon la plus équitable possible et sans discrimination.

J'ai essayé de rester clair et concis. Il s'agissait tout d'abord d'établir des principes de base. Au stade des épreuves, j'ai consulté les personnes et les organismes qui sont cités à la page 6, mais la décision finale a été la mienne.

Enfin, j'ai cru bon de mettre un peu d'humour dans les exemples. En effet, on comprend une règle plus en lisant l'exemple que la règle, et on se souvient de l'exemple s'il nous a fait sourire.

A. Ramat

---

1. Située à Paris, rue de la Convention, l'Imprimerie nationale est un établissement industriel dépendant du ministère du Budget, dont la mission est d'assurer l'impression des actes officiels du gouvernement français et divers ouvrages publiés pour le compte de l'État. Sa fondation remonte à François Ier. Une entente de coopération dans le domaine de l'édition officielle a été signée en 1977 entre l'Imprimerie nationale et le Bureau de l'éditeur officiel du Québec.

Bibliographie

La Chose imprimée, sous la direction de John Dreyfus
et François Richaudeau, REPL, 1977 ;

Code typographique, treizième édition. Syndicat national des cadres
et maîtrises du livre, de la presse et des industries graphiques,
7, rue du Printemps, 75013 Paris ;

De l'emploi des majuscules, deuxième édition, 1973.
Fichier français de Berne, case postale 1413 — 3001 Berne (Suisse) ;

Dictionnaire des difficultés de la langue française,
par Adolphe Thomas. Librairie Larousse ;

Faut l'faire et Allons-y gaiement, par Maurice Biraud.
Les Presses de la Cité, Paris ;

Le français au bureau, troisième édition, 1988, Cahiers de l'Office de la
langue française, par Hélène Cajolet-Laganière. Les Publications du Québec ;

Le français, langue des affaires, deuxième édition, 1979,
par André Clas et Paul A. Horguelin, McGraw-Hill, éditeurs ;

Guide du typographe romand, troisième édition, édité par le Groupe
de Lausanne de l'Association suisse des compositeurs à la machine.
Diffusion : Héliographia S.A., Lausanne (Suisse) ;

Guide linguistique à l'intention des imprimeurs, Cahiers de l'Office
de la langue française, édition provisoire, 1987 ;

Guide pratique de correspondance et de rédaction,
par Brigitte Van Coillie-Tremblay. Les Publications du Québec ;

Lexique des règles typographiques en usage à l'Imprimerie nationale, Paris.
Deuxième édition, 1975. Les Publications du Québec ;

Mémento typographique, par Charles Gouriou, 1973. Librairie Hachette ;

Micro-Gazette, magazine de micro-informatique, Montréal ;

Multidictionnaire des difficultés de la langue française, 1988,
par Marie-Éva de Villers. Éditions Québec/Amérique ;

Observations grammaticales et terminologiques, par Madeleine Sauvé,
Secrétariat général, Université de Montréal ;

Petit Larousse en couleurs, 1989. Librairie Larousse.
Distribué au Canada par les Éditions françaises inc. ;

Pour un genre à part entière, Coordination à la condition féminine du ministère
de l'Éducation, 1988. Les Publications du Québec ;

Préparation de la copie et correction des épreuves, par Daniel Auger,
École Estienne, Paris ;

Répertoire toponymique du Québec, 1978. Commission de toponymie.
Les Publications du Québec ;

Titres et fonctions au féminin : essai d'orientation de l'usage,
Office de la langue française, 1986.

TABLE DES MATIÈRES ENSEIGNÉES

I. — TYPOGRAPHIE 7
GLOSSAIRE 8
COMPOSITIONS TYPOGRAPHIQUES 14
NOTES ET APPELS DE NOTES 15
ÉNUMÉRATIONS 16
LES ÉTAPES D'UN TEXTE 18
LA CORRECTION D'ÉPREUVES 25
LA MARCHE 30

II. — COUPURES 31
Terminologie 31
DIVISION 32
Principes de la division 32
Règles de la division 33
SÉPARATION 34
Principes de la séparation 34
Règles de la séparation 34

III. — NOMBRES 35
Principes 35
Règles des nombres 36

IV. — ABRÉVIATIONS 39
LES ABRÉVIATIONS COURANTES 39
Principes 39
Règles des abréviations courantes 40
SYSTÈME INTERNATIONAL D'UNITÉS 42
Règles d'écriture 43
Liste des abréviations courantes 44
Liste partielle des symboles 45

V. — PONCTUATION 49
LES SIGNES DE PONCTUATION 50
Principes 50
Règles des signes de ponctuation 51
LES SIGNES ORTHOGRAPHIQUES 59

VI. — CAPITALES 63
Terminologie des capitales 64
Généralités sur les capitales 65
Principes des capitales 66
TOPONYMIE 67
Définitions 67
Règles d'écriture des toponymes 68
EMPLOI DES CAPITALES 71

VII. — ITALIQUE 89
Principes 89
Règles de l'emploi de l'italique 90

Remerciements

Je remercie les personnes et les organismes suivants que j'ai consultés et qui ont bien voulu me donner leur avis :

CAMILLE ALEPIN, conseiller en informatique, Montréal ;
L'ASSOCIATION FRANÇAISE DE NORMALISATION (Afnor) ;
L'ASSOCIATION ROMANDE DES CORRECTEURS D'IMPRIMERIE ;
DANIEL AUGER, professeur à l'École Estienne, Paris ;
LA COMMISSION DE TOPONYMIE DU QUÉBEC ;
LES CORRECTEURS DE L'IMPRIMERIE NATIONALE, Paris ;
HÉLÈNE DORÉ et GÉRALD GAUTHIER, *Micro-Gazette*, Montréal ;
ROBERT DUBUC, Service de linguistique, Société Radio-Canada ;
L'ÉCOLE ROMANDE DES ARTS GRAPHIQUES, Lausanne (Suisse) ;
CÉLINE GOUGEON et GUY SAUVAGEAU, typographes, Laval ;
NADA KERPAN, Bell Canada, Montréal ;
LE MINISTÈRE DE L'ÉDUCATION DU QUÉBEC ;
L'OFFICE DE LA LANGUE FRANÇAISE DU QUÉBEC ;
L'OFFICE DES NATIONS UNIES, Section des impressions, Genève ;
LOUIS PETITHORY, chef correcteur aux éditions Larousse, Paris ;
MADELEINE SAUVÉ, grammairienne de l'Université de Montréal.

Je remercie également :

CATHERINE RAMAT, ma fille, qui a réalisé la couverture ;
PAUL SALVETTI, qui a fait la conception graphique.

Enfin, je remercie tous mes compagnons de travail pour leur coopération bénévole et leur bienveillance à mon égard.

A. Ramat

Chapitre premier

TYPOGRAPHIE

Depuis son invention par Gutenberg vers 1440, la typographie désignait un procédé de composition à l'aide de caractères mobiles en plomb. Le procédé d'impression qui résultait du contact de ces lettres enduites d'encre avec le papier s'appelait l'impression typographique. Aujourd'hui, ce mode de composition a été remplacé par la photocomposition, et l'impression typo a été supplantée par l'offset et l'héliogravure.

Le terme *typographie* désigne donc maintenant:

1. La présentation visuelle d'un imprimé. C'est ainsi qu'on qualifiera de *belle typographie* un imprimé agréable à regarder, où les espaces blancs ont été harmonieusement répartis et les caractères judicieusement choisis. Plaisir des yeux: tel est le but d'une belle typographie;

2. Les règles typographiques. Ce sont les règles d'écriture contenues dans ce livre. Elle polissent un texte, lui donnent une évidente qualité et rendent la lecture facile et agréable. De plus, elles évitent souvent des ambiguïtés.

Pour suivre le progrès, nous avons inclus dans le glossaire qui suit des termes d'informatique. Puisque l'ordinateur personnel est maintenant devenu l'appareil qui permet de composer nos textes destinés à l'impression, il est utile de savoir ce dont il faut tenir compte pour faire le choix d'un ordinateur. Nous avons rédigé ce glossaire en termes simples et compréhensibles par tous.

GLOSSAIRE

ASCII *(American Standard Code for Information Interchange)*
Code normalisé pouvant servir à un échange d'informations entre différents constructeurs. C'est donc un code de transmission d'un ordinateur à un autre ou d'un ordinateur à une imprimante.

Carte mémoire *(expansion card)*
Carte électronique qui agrandit la mémoire. Avec une plus grande mémoire, l'ordinateur pourra effectuer plus de fonctions.

Compatible *(compatible)*
Se dit d'un ordinateur qui peut fonctionner avec les logiciels d'un appareil d'une autre marque.

Disque dur *(hard disk)*
Disque de grande capacité de mémoire qui est souvent fixé à l'intérieur de l'appareil. Dans certains programmes, le disque dur augmente la rapidité d'exécution des commandes.

Disque souple *(floppy disk)*
Disque qui contient le logiciel ou les textes que l'on a écrits et que l'on veut garder. On insère les disques dans les lecteurs de disques *(disk drives)*. Il existe plusieurs formats de disques souples : 5¼ po, 3½ po, etc.

Écran *(monitor)*
Les lettres ou les signes que l'on voit sur notre écran sont formés de points qui sont de petites lumières qui s'allument et s'éteignent à une vitesse incroyable. Ces points se trouvent sur des lignes horizontales. Ainsi, plus les points sont petits et les lignes serrées, plus la lecture sera agréable. Par exemple, 600 x 400 signifie que l'on a 600 lignes par 400 points. Donc, plus ces chiffres seront élevés, plus l'écran sera de bonne qualité.

Fer *(flush)*
Une composition *au fer à gauche* signifie qu'elle est alignée sur la gauche. Si la composition est alignée sur la droite, on dit *au fer à droite*. En fait, dans la pratique, quand on dit tout simplement *au fer*, on sous-entend *à gauche*.

Imprimante *(printer)*
Machine qui écrit sur papier le texte contenu dans l'ordinateur. Il existe de nombreuses sortes d'imprimantes, dont voici quelques-unes :
— L'imprimante à marguerite *(daisy printer)*. L'impression se fait par un dispositif ayant la forme d'une marguerite (ce qui correspond à la boule des machines à écrire). La qualité d'impression est très bonne, mais on ne peut pas mélanger les caractères. Plus bruyante que l'imprimante à points, sa vitesse d'impression est relativement faible ;
— L'imprimante à points *(dot matrix printer)*. Chaque caractère est formé de très petits points, grâce à 9, 18 ou 24 aiguilles. Plus il y a d'aiguilles, plus l'impression est de bonne qualité. Cette imprimante est plus rapide, fait moins de bruit, et on peut mélanger les caractères ;
— L'imprimante à laser *(laser printer)*. Imprimante de même principe qu'un photocopieur (poudre), mais qui imprime non pas à partir d'une feuille qu'elle lit, mais à partir des informations qu'elle reçoit d'un ordinateur. Elle imprime sur du papier ordinaire. La qualité d'impression approche celle d'une photocomposeuse d'imprimerie.

Interface *(interface)*
Dispositif pour relier deux systèmes informatiques qui ne sont pas compatibles.

Justification *(justification)*
Ce terme a deux significations. Les lignes sont justifiées quand elles sont pleines et qu'elles sont égales. On appelle aussi justification (ou bien **mesure**) la longueur des lignes exprimée en picas et en points.

Ligne creuse *(widow)*
Une ligne creuse est une ligne qui est plus courte que la justification. Une ligne **pleine** est une ligne qui est justifiée pleine mesure.

Logiciel *(software)*
Programme sur une disquette que l'on doit acheter et qui permettra d'effectuer les opérations de traitement de texte : écriture, effacement, remplacement, défilement, recherche de mots, calculs, déplacement de paragraphes, etc.

Mémoire vive *(RAM : Random Access Memory)*
Mémoire dans laquelle on peut écrire. Cette mémoire est volatile, c'est-à-dire qu'elle existe seulement quand l'appareil est en marche. Elle s'efface quand on coupe le courant. La mémoire vive est aussi occupée par le logiciel. Il est donc important d'avoir un chiffre élevé, par exemple : mémoire vive de 640 ko (kilooctets), mémoire vive de 2 Mo (mégaoctets).

Mémoire morte *(ROM : Read Only Memory)*
Mémoire dans laquelle on peut lire mais on ne peut pas écrire. Contrairement à la mémoire vive, la mémoire morte n'est pas volatile.

Montage *(paste-up)*
Quand le **bromure** *(paper film)* sort de la photocomposeuse, le typographe coupe les différentes parties, les enduit de cire chaude et les place alors sur la **feuille de base** *(grid)*, feuille de papier rigide quadrillée en bleu, dont les lignes guident le monteur quand il place les pavés de texte et les hors-texte. Les lignes bleues sur la feuille de base ne sont pas photographiées par la caméra.

Menu *(menu)*
Liste qui vient sur l'écran, comme un menu. Par exemple, si l'on veut changer la marge de droite, le menu propose (G) ou (D). On met le curseur sur (D).

Octet *(byte)*
L'octet est l'unité de base en informatique. Il équivaut environ à une lettre ou un chiffre, ou à une frappe du clavier. Son symbole est un **o** bas de casse, sans point abréviatif et invariable. Le préfixe **k** (kilo) signifie 1000. Le préfixe **M** (méga) signifie 1 000 000. Donc : 380 ko = 380 000 octets, 40 Mo = 40 000 000 d'octets (ou 40 mégaoctets).

Offset *(offset)*
Procédé d'impression par double décalque de la forme d'impression sur un blanchet *(blanket)* de caoutchouc, puis de celui-ci sur le papier.

Processeur *(CPU : Central Processor Unit)*
C'est l'unité centrale de l'ordinateur. Au moment d'acheter, on devra faire un choix entre différents systèmes (IBM, Macintosh, AES, etc.), selon ses besoins.

Renfoncement *(indent)*
C'est un espace blanc qu'on laisse à gauche, à droite ou des deux côtés pour détacher une certaine partie du texte par rapport à la justification.

Famille de caractères *(family of type)*

Les caractères typographiques sont divisés en neuf familles, selon la forme des lettres. Les unes se terminent par une petite patte au bout de leur jambage et les autres ont des jambages qui ressemblent à des bâtons. Il est superflu pour un rédacteur de connaître toutes les familles de caractères. Ainsi, il suffira d'en distinguer deux sortes:

- Caractères **avec** empattement, appelés *sérifs*;
- Caractères **sans** empattement, appelés *sansérifs*.

Fonte *(font)*

Une fonte est déterminée par le nom du caractère, la plupart du temps par le nom de son inventeur. Dans la composition *à chaud*, une *police* de caractères était un jeu complet de lettres dans un corps donné. En photocomposition, le caractère est décomposé en informations «digitales» emmagasinées électroniquement sur un disque magnétique. Une fonte peut être composée dans tous les corps et dixièmes de corps.

| Le Newton | l'Univers | le Crown | le Caslon |

sont des fontes. Le Newton et l'Univers, avec leurs lettres sans patte, sont des fontes sans empattement (*sansérifs*), tandis que le Crown et le Caslon sont des fontes avec empattement (*sérifs*).

Grosseur de l'œil *(face value)*

Les noms des quatre fontes ci-dessus sont composés dans le même corps, c'est-à-dire la même grosseur. Mais certaines de ces fontes paraissent plus grosses que les autres. C'est que leur *œil* est différent.

Face *(face)*

Une même fonte, le Newton par exemple, a plusieurs faces. Le caractère peut être droit (romain), penché (italique), plus léger ou plus gras. Voici les différentes faces de la fonte Newton:

| LÉGER romain | MÉDIUM romain | **GRAS romain** |
| *LÉGER italique* | *MÉDIUM italique* | ***GRAS italique*** |

Approche *(kern)*

L'approche est l'espace entre les lettres. On peut augmenter ou diminuer l'approche pour resserrer les lettres ou les écarter. La commande se donne au début, en unités. En cas de manque de place, il vaut mieux cependant changer la *chasse* (voir ce mot). En effet, si l'on donne une approche trop élevée, on risque de voir les lettres se toucher. L'approche peut se changer pour une lettre séparément. Par exemple, en italique, si un *V* se trouve après un *A*, il faudra rapprocher le *V* du *A*. Voici des lettres normales: *A VAL*. Voici les lettres *A*, *V* et *A* rapprochées de 13 unités: *AVAL*.

Chasse *(width)*

C'est la largeur d'un caractère exprimée en unités. Par exemple, la lettre «i» dans cette fonte en romain a une chasse de 28 unités alors que la lettre «m» mesure 82 unités. La chasse peut être *condensée* ou *élargie*.

NORMALE

CONDENSÉE

ÉLARGIE

Ces lignes sont du même corps (12 points). La première est normale. La deuxième a une commande de 8 points de chasse (les lettres gardent leur valeur en unités mais elles prennent la chasse du corps 8 points). La troisième a une commande de 15 points.

Corps *(size)*

Le corps est déterminé en points et en dixièmes de point. C'est l'espace entre la partie la plus haute et la plus basse des lettres. Par exemple, le corps est la distance entre le sommet du *T* majuscule et l'extrémité du jambage du *p* minuscule, plus un léger *talus* afin que ces lettres ne se touchent pas si elles se trouvent l'une au-dessous de l'autre. Un corps de 8,3 est un corps de huit points trois dixièmes (commande: 083).

Typographie

Typographie

Dans cet exemple, le corps est de 12 points, c'est-à-dire que la distance entre les traits est de 12 points. C'est une composition non interlignée.

Ligne de base *(baseline)*

La ligne de base est le trait imaginaire qui suit la partie inférieure des lettres sans jambage. Dans les exemples ci-dessous:

La grammaire typographique

La grammaire typographique

les lignes de base sont représentées par les traits. Ceux-ci ne tiennent pas compte des jambages des lettres. Tous les caractères, dans n'importe quel corps, s'alignent toujours sur la ligne de base. Par exemple, ci-dessous, les mots **Interligne** et *(leading)* sont de corps différents (14 et 12 points) mais ils s'alignent sur la ligne de base.

Interligne *(leading)*

L'interligne est déterminé en points et en dixièmes de point, comme le corps. Dans l'exemple ci-dessus, l'interligne est de 10 points, c'est-à-dire la distance entre les lignes de base. Quand l'interligne est le même que le corps, on dit que la composition est *solide*. Pour avoir une composition de corps 9 sur un interligne de 9 points, le marqueur indiquera 090/090.

Si l'on désire plus de blanc entre les lignes, on composera 090/094, 090/120, etc. Ce texte est 095/100 (9,5 pt sur 10 points d'interligne).

Mesures typographiques

1. Le pica. — Le pica est une mesure typographique qui vaut 4,21 mm et qui sert principalement à déterminer la longueur des lignes ou des clichés. Par exemple, ce livre est composé sur une justification de 24½ picas. Le marqueur de copie, dans ce cas, indiquera — 2406 — (24 picas 6 points).

2. Le point. — Le point est la douzième partie du pica. On l'utilise pour déterminer le corps et l'interligne d'une composition. Le pica et le point sont des espaces à valeur *absolue* car celle-ci ne change pas.

Espaces typographiques

On distingue les espaces *fixes* et l'espace *variable*. En typographie, le mot *espace* est du genre féminin quand il désigne une espace fixe ou une espace variable. Quand on emploie le mot *espace* pour désigner un espace blanc, il est masculin.

ESPACES FIXES

Les quatre espaces décrites ci-dessous, qu'on appelle «espaces fixes» puisque leur valeur ne varie pas *dans une fonte et un corps donnés*, ont des valeurs *relatives* (elles seront plus grandes si le corps est plus grand).

1. Le cadratin. — Le cadratin est un carré imaginaire de surface non imprimée. Son côté est égal au corps employé. Par exemple, dans un texte composé dans un corps 9 points, le cadratin est un espace blanc de 9 points. La valeur du cadratin dépend donc du corps employé. (Cette valeur peut être différente selon les fontes et les systèmes.)

Voici un cadratin de 8 points entre ces mots de 8 points:

cadratin   cadratin

Voici un cadratin de 12 points entre ces mots de 12 points:

cadratin   cadratin

2. Le demi-cadratin. — Comme son nom l'indique, le demi-cadratin est la moitié du cadratin en largeur. Quand on compose en 12 points, le demi-cadratin a une valeur de 6 points horizontalement.

3. L'espace fine. — L'espace fine est le quart du cadratin. Quand on compose en corps 10 points, l'espace fine a une valeur de 2½ points. (Dans certains systèmes, l'espace fine est le tiers du cadratin.)

4. L'unité. — L'unité est une espace plus petite que l'espace fine. Le cadratin est divisé en un certain nombre d'unités, nombre différent selon les marques de machines. Ce texte est composé avec un système de 100 unités au cadratin. Dans un corps de 10 points, une unité vaut 1/100 de cadratin, donc 10 unités valent 1 point.

ESPACE VARIABLE

Il n'y a qu'une espace variable: l'espace justifiante. Sa fonction est de justifier les lignes, c'est-à-dire de leur donner à toutes la même longueur.

L'espace justifiante. — L'espace justifiante est ce qui correspond à la barre d'espacement d'une machine à écrire. Puisque la composition est *justifiée*, les blancs entre les mots des différentes lignes n'ont pas tous la même grandeur. Chaque lettre d'une fonte a une certaine largeur en unités. Après avoir additionné la somme des largeurs des lettres dans la ligne, l'ordinateur répartit de façon égale entre les mots les unités restantes pour remplir la ligne. Si l'opérateur le lui permet, l'ordinateur commencera à espacer les lettres après avoir utilisé le maximum permis entre les mots.

La photocomposition a amené avec elle certains changements dans les règles typographiques. Par exemple, dans la composition à *chaud*, il était possible de mettre une «espace bande» avant et après un deux-points (:) ou des guillemets (« »), car l'opérateur pouvait voir sa ligne avant de l'envoyer. Mais en photocomposition, l'ordinateur justifie la ligne à une espace justifiante (ou à un trait d'union). Il serait donc possible qu'il choisisse l'espace justifiante qu'on aurait utilisée devant un deux-points pour justifier, et le deux-points se trouverait alors au début de la ligne suivante. Afin d'éviter cette séparation, il faut donc utiliser une espace fixe et non une espace justifiante devant le deux-points.

Emploi des différentes espaces

● **Le cadratin, le demi-cadratin** et **l'espace fine** servent dans les alignements verticaux de nombres. Le demi-cadratin a la même largeur qu'un chiffre. L'espace fine a la même largeur que la virgule décimale (un quart de cadratin). On l'utilise aussi pour détacher les groupes de trois chiffres dans l'écriture des nombres qui désignent des quantités.

● **L'unité** sert dans les cas de mesures plus précises. Par exemple, pour mettre une espace fixe entre des mots ou des ponctuations qui ne doivent pas être séparés en fin de ligne. Dans ce livre, il y a 10 unités avant les ponctuations hautes comme le deux-points, le point-virgule, le point d'exclamation, et 13 unités aux guillemets. On détermine aussi en unités les espaces minimale et maximale que l'on désire entre les mots. Dans ce texte, la commande est de 25/99, c'est-à-dire que l'ordinateur ne mettra pas d'espace entre les mots inférieure à 25/100 de cadratin ni supérieure à 99/100 de cadratin. Dans le cas des lignes creuses (en fin de paragraphe) ou dans les compositions en drapeau (à gauche, à droite) ou centrées, l'ordinateur mettra l'espace minimale demandée: 25 unités.

● **L'espace justifiante** sert à répartir les blancs entre les mots pour que la ligne soit justifiée. On n'utilisera donc pas d'espace justifiante dans les alignements verticaux ou les compositions *à découvert*. De toute façon, il vaut mieux utiliser les tabulateurs pour un alignement parfait.

COMPOSITIONS TYPOGRAPHIQUES

en alinéa

Alinéa zzzzzzzzzzzzzzzzzzzzzzzzzzzzzzzzzzzzzzzzz
zzzzzzzzzzzzzzzzzzzzzzzzzzzzzzzzzzzzzzzzzzzzzzzzz
zzzzzzzzzzzzzzzzzzzzzzzzzzzzzzzzzzzzzzzzz
Alinéa zzzzzzzzzzzzzzzzzzzzzzzzzzzzzzzzzzzzzzzz
zzzzzzzzzzzzzzzzzzzzzzzzzzzzzzzzzzzzzzzzzzzzzzzzz
zzzzzzzzzzzzzzzzzzzzzzzzzzzzzzzzzzz
Alinéa zzzzzzzzzzzzzzzzzzzzzzzzzzzzzzzzzzzzzzzz
zzzzzzzzzzzzzzzzzzzzzzzzzzzzzzzzzzzzzzzzzzzzzzzzz
zzzzzzzzzzzzzzzzzzzzzzzzzzzzzzzzzzzzzz

Les alinéas sont renfoncés en cadratins et en demi-cadratins ou bien en picas et en points, selon la justification de la ligne.

au carré

Alinéa zzzzzzzzzzzzzzzzzzzzzzzzzzzzzzzzzzzzzzzzz
zzzzzzzzzzzzzzzzzzzzzzzzzzzzzzzzzzzzzzzzzzzzzzzzz
zzzzzzzzzzzzzzzzzzzzzzzzzzzzzzzzzzzzzz
Alinéa zzzzzzzzzzzzzzzzzzzzzzzzzzzzzzzzzzzzzzzz
zzzzzzzzzzzzzzzzzzzzzzzzzzzzzzzzzzzzzzzzzzzzzzzzz
zzzzzzzzzzzzzzzzzzzzzzzzzzzzzzzzzzzzzz
Alinéa zzzzzzzzzzzzzzzzzzzzzzzzzzzzzzzzzzzzzzzz
zzzzzzzzzzzzzzzzzzzzzzzzzzzzzzzzzzzzzzzzzzzzzzzzz
zzzzzzzzzzzzzzzzzzzzzzzzzzzzzzzzzzzzzz

Tous les alinéas commencent sans aucun renfoncement et ils se terminent tous par des lignes soit creuses, soit pleines.

en drapeau à gauche

Alinéa zzzzzzzzzzzzzzzzzzzzzzzzzzzzzzzzzzz
zzzzzzzzzzzzzzzzzzzzzzzzzzzzzzzzzzzz
zzzzzzzzzzzzzzzzzzzzzzzzzzzzzzzzzzzzzzzz
Alinéa zzzzzzzzzzzzzzzzzzzzzzzzzzzzzzzzzzz
zzzzzzzzzzzzzzzzzzzzzzzzzzzzzzzzzzzz
zzzzzzzzzzzzzzzzzzzzzzzzzzzzzzzzzzzzzzzz
Alinéa zzzzzzzzzzzzzzzzzzzzzzzzzzzzzzzzzzz
zzzzzzzzzzzzzzzzzzzzzzzzzzzzzzzzzzzz
zzzzzzzzzzzzzzzzzzzzzzzzzzzzzzzzzzzzzzzz

Les lignes sont alignées à gauche. Il n'y a pas de divisions de mots. On peut au besoin renfoncer chacun des alinéas.

centrée

Alinéa zzzzzzzzzzzzzzzzzzzzzzzzzzzzzzzzz
zzzzzzzzzzzzzzzzzzzzzzzzzzzzzz
zzzzzzzzzzzzzzzzzzzzzzzzzzzzzzzz
Alinéa zzzzzzzzzzzzzzzzzzzzzzzz
zzzzzzzzzzzzzzzzzzzzzzzzzzzz
zzzzzzzzzzzzzzzzzzzzzzzzzzz
Alinéa zzzzzzzzzzzzzzzzzzzzzzzzzzz
zzzzzzzzzzzzzzzzzzzzzzzzzzzz
zzzzzzzzzzzzzzzzzzzzzzzzzz

Les lignes sont centrées, il n'y a pas de divisions de mots. Les fins d'alinéas sont fixées par une commande de centrage.

en sommaire

Alinéa zzzzzzzzzzzzzzzzzzzzzzzzzzzzzzzzzzzzzzzzz
zzzzzzzzzzzzzzzzzzzzzzzzzzzzzzzzzzzzzzzzzzzzzzzzz
zzzzzzzzzzzzzzzzzzzzzzzzzzzzzzzzzz
Alinéa zzzzzzzzzzzzzzzzzzzzzzzzzzzzzzzzzzzzzzzz
zzzzzzzzzzzzzzzzzzzzzzzzzzzzzzzzzzzzzzzzzzzzzzzzz
zzzzzzzzzzzzzzzzzzzzzzzzzzzzzzzzz
Alinéa zzzzzzzzzzzzzzzzzzzzzzzzzzzzzzzzzzzzzzzz
zzzzzzzzzzzzzzzzzzzzzzzzzzzzzzzzzzzzzzzzzzzzzzzzz
zzzzzzzzzzzzzzzzzzzzzzzzzzzzzz

La première ligne de chaque alinéa est au fer. Les autres lignes sont renfoncées en picas ou cadratins, selon la mesure.

au carré avec rentrée

Alinéa zzzzzzzzzzzzzzzzzzzzzzzzzzzzzzzzzzzzzzzz
zzzzzzzzzzzzzzzzzzzzzzzzzzzzzzzzzzzzzzzzzzzzz
zzzzzzzzzzzzzzzzzzzzzzzzzzzzzzzzz
Alinéa zzzzzzzzzzzzzzzzzzzzzzzzzzzzzzzzzzzzzzzz
zzzzzzzzzzzzzzzzzzzzzzzzzzzzzzzzzzzzzzzzzzzzz
zzzzzzzzzzzzzzzzzzzzzzzzzzzzzzz
Alinéa zzzzzzzzzzzzzzzzzzzzzzzzzzzzzzzzzzzzzzzz
zzzzzzzzzzzzzzzzzzzzzzzzzzzzzzzzzzzzzzzzzzzzz
zzzzzzzzzzzzzzzzzzzzzzzzzzzzzzz

Le premier alinéa après le titre ou le sous-titre commence sans renfoncement. Tous les autres alinéas sont renfoncés.

en drapeau à droite

Alinéa zzzzzzzzzzzzzzzzzzzzzzzzzzzzzzzzzzz
zzzzzzzzzzzzzzzzzzzzzzzzzzzzzzzzzzzzz
zzzzzzzzzzzzzzzzzzzzzzzzzzzzzzzzzzzzz
Alinéa zzzzzzzzzzzzzzzzzzzzzzzzzzzzzzzz
zzzzzzzzzzzzzzzzzzzzzzzzzzzzzzzzzzz
zzzzzzzzzzzzzzzzzzzzzzzzzzzzzzzzzzzz
Alinéa zzzzzzzzzzzzzzzzzzzzzzzzzzzzzzz
zzzzzzzzzzzzzzzzzzzzzzzzzzzzzzzzzzz
zzzzzzzzzzzzzzzzzzzzzzzzzzzzzzzzzzzz

Les lignes sont alignées à droite. Il n'y a pas de divisions de mots ni évidemment de renfoncement à aucun des alinéas.

en pavé

Alinéa zzzzzzzzzzzzzzzzzzzzzzzzzzzzzzzzzzzzzzzz
zzzzzzzzzzzzzzzzzzzzzzzzzzzzzzzzzzzzzzzzzzzzz
zzzzzzzzzzzzzzzzzzzzzzzzzzzzzzzzzzzzzzzzzzzzz
Alinéa zzzzzzzzzzzzzzzzzzzzzzzzzzzzzzzzzzzzzzzz
zzzzzzzzzzzzzzzzzzzzzzzzzzzzzzzzzzzzzzzzzzzzz
zzzzzzzzzzzzzzzzzzzzzzzzzzzzzzzzzzzzzzzzzzzzz
Alinéa zzzzzzzzzzzzzzzzzzzzzzzzzzzzzzzzzzzzzzzz
zzzzzzzzzzzzzzzzzzzzzzzzzzzzzzzzzzzzzzzzzzzzz
zzzzzzzzzzzzzzzzzzzzzzzzzzzzzzzzzzzzzzzzzzzzz

Toutes les lignes sont pleines. Les alinéas commencent tous sans renfoncement et se terminent tous par une ligne pleine.

NOTES ET APPELS DE NOTES

On appelle **note** la composition qui se met au bas de la page pour expliquer un mot ou une phrase du texte. Elle se compose dans un corps plus petit et elle est séparée du texte par un filet maigre, à gauche, d'une longueur d'un sixième de la justification environ. On désigne par **appel de note** le signe, la lettre ou le chiffre qui se place dans le texte après la partie à expliquer.

1. **Formes de l'appel de note.** — L'appel de note pourra être: un astérisque, un chiffre supérieur sans parenthèses, un chiffre supérieur avec parenthèses supérieures, un chiffre normal entre parenthèses, ou une lettre en italique entre parenthèses en romain.

$$* \quad 2 \quad (3) \quad (4) \quad (e)$$

2. **Formes de la note.** — Le signe, le chiffre ou la lettre qui se place au début de la note est suivi d'un demi-cadratin et il doit être le même que celui de l'appel de note correspondant. Toutefois, quand l'appel de note est un chiffre supérieur sans parenthèses, on utilise dans la note un chiffre normal suivi d'un point pour faciliter la lecture.

3. **Choix des appels de notes.** — Voici les deux formes que nous préconisons dans les différents travaux:

a) *Astérisques dans les travaux scientifiques.* On emploiera les astérisques (avec un maximum de trois par page) dans les textes des travaux scientifiques parce que les chiffres supérieurs pourraient être confondus avec des exposants. L'astérisque seul accompagnant un mot signifie souvent « Voir ce mot. »

b) *Chiffres supérieurs sans parenthèses dans les travaux ordinaires.* On emploiera les chiffres supérieurs sans parenthèses parce que ces dernières peuvent parfois prêter à confusion avec les parenthèses du texte. D'autre part, une lettre en italique peut se confondre avec une lettre d'énumération. Enfin, dans le cas de notes mises en fin de volume, on ne peut se rendre qu'à 26 avec les lettres de l'alphabet.

4. **Placement de l'appel de note.** — L'appel de note

a) est *détaché* du mot qui le précède par une espace fixe en unités, avec un maximum de 25/100 de cadratin (espace fine). Cela évitera une séparation inacceptable en fin de ligne;

b) se place toujours *avant* la ponctuation (basse ou haute), qu'il se rapporte au mot qui précède ou à la phrase:

exemple[2].   exemple[2];   exemple[2]?   exemple[2])
exemple[2],   exemple[2]:   «exemple[2]»   exemple[2]/
exemple[2]...   exemple[2]!   exemple[2] —

c) se place toujours *après* le point abréviatif d'un mot abrégé.

exemple, etc.[2].

ÉNUMÉRATIONS

Nous étudierons les énumérations verticales sous quatre aspects: les valeurs décroissantes des caractères, l'ordre décroissant des parties d'un ouvrage, la ponctuation et la syntaxe des énumérations.

Dans les énumérations horizontales, les parties sont toutes séparées par un point-virgule et prennent un bas de casse initial.

VALEURS DÉCROISSANTES

1. **Corps.** — Pour augmenter la valeur d'un sous-titre, on prend un corps supérieur. Par exemple, un sous-titre en 12 points, même en léger et bas de casse, aura une valeur plus grande qu'un sous-titre en 10 points en gras capitales. (Encore faut-il considérer l'œil de la fonte, puisque certaines fontes paraissent plus petites que d'autres.)

2. **Faces.** — L'ordre d'importance des faces est le suivant: gras, médium, léger. La face italique sert à mettre une partie en évidence. Cette face n'entre donc pas dans l'échelle des valeurs.

3. **Capitales et bas de casse.** — Les capitales ont évidemment une plus grande valeur que les bas de casse dans toutes les faces.

4. **Lignes centrées.** — Les lignes centrées ont une plus grande valeur que les lignes au fer à gauche.

GRAS CAPITALES
gras bas de casse

MÉDIUM CAPITALES
médium bas de casse

LÉGER CAPITALES
léger bas de casse

ORDRE DÉCROISSANT

Voici l'ordre que nous proposons pour un ouvrage comportant six subdivisions. Toutes ces subdivisions portent un nom qui est donné en face du signe d'énumération correspondant. Bien noter le point après les trois premiers signes d'énumération seulement et les différentes faces.

  I. CHAPITRE
   A. Section
    1. ARTICLE
     a) Paragraphe
      1° Alinéa
       — Sous-alinéa

● Avant le chapitre, on peut avoir, par ordre décroissant, les subdivisions: **tome** ou **volume, livre, partie, titre**

● En cas de besoin, on peut aussi subdiviser certaines parties d'un ouvrage ainsi: **sous-titre, sous-chapitre, sous-section**

PONCTUATION DES ÉNUMÉRATIONS

1. Capitale initiale. — Si l'on considère que la phrase est interrompue entre la proposition d'introduction et le début de l'énumération, on met une capitale à chaque partie. On utilise alors de préférence les signes comportant un point (**I. A. 1.**). On met un point-virgule à la fin de chaque partie, quelle que soit la ponctuation interne, et un point final à la fin. Les subdivisions d'une partie prennent un bas de casse initial et une virgule à la fin de chacune d'elles. Si les parties sont longues, on peut mettre un point à la fin de chacune (ex.: page 19).

Instructions aux élèves (filles et garçons) le jour de l'examen:
1. Présentez votre lettre de convocation;
2. Préparez le matériel nécessaire:
   — papier,
   — crayon,
   — gomme à effacer;
3. Rassemblez-vous dans la cour. Les numéros des classes vous seront donnés sur place;
4. Ne fumez pas.

2. Bas de casse. — Si l'on considère que la phrase n'est pas interrompue entre la proposition d'introduction et le début de l'énumération, on met un bas de casse initial au début de chaque partie. On utilisera alors de préférence les signes ne comportant pas de point: a) 1° — On peut supprimer le deux-points de la proposition d'introduction.

Le jour de l'examen, les élèves (filles et garçons) sont invités à
a) présenter leur lettre de convocation;
b) préparer le matériel nécessaire:
   — papier,
   — crayon,
   — gomme à effacer;
c) se rassembler dans la cour. Les numéros des classes seront donnés sur place;
d) ne pas fumer.

SYNTAXE

1. Toutes les parties d'une énumération doivent rester dans la même catégorie grammaticale (impératifs, infinitifs ou substantifs) afin de garder la continuité de l'énumération avec la phrase d'introduction.

Présentez la lettre	Présenter la lettre	Présentation de la lettre
Rassemblez-vous	Se rassembler	Rassemblement
Ne fumez pas	Ne pas fumer	Interdiction de fumer

2. On ne doit pas mélanger des catégories grammaticales différentes:

Présentez la lettre
Se rassembler
Interdiction de fumer

LES ÉTAPES D'UN TEXTE

Dans ce sous-chapitre, nous étudierons les différentes étapes par lesquelles doit passer un texte destiné à l'impression. Le tableau ci-dessous donne par ordre chronologique les postes successifs, ainsi que le document sur lequel travaille chaque préposé.

travaille sur

Le rédacteur	la copie
Le maquettiste	la copie et la maquette
Le préparateur de copie	la copie
Le marqueur de copie	la copie et la maquette
L'opérateur	la copie
Le typographe	le bromure
Le correcteur d'épreuves	les épreuves

Il est évident que nous considérons ici le cas d'une imprimerie qui serait idéale. En réalité, les différents postes sont souvent tenus par une même personne. Par exemple, une seule personne peut remplir les fonctions de préparateur, de marqueur et de correcteur.

Le rédacteur

Le rédacteur est la personne qui écrit le texte destiné à l'impression. Nous l'appellerons parfois *l'auteur* ou *le client*.

1. Propriété artistique

Le client détient la propriété artistique, c'est-à-dire que son texte lui appartient. Au moment de la remise du manuscrit à l'imprimeur, deux cas peuvent se présenter:

a) Si l'imprimeur possède une grammaire typographique qu'il a adoptée, il la soumettra au client pour accord. L'imprimeur composera donc le texte en appliquant les règles proposées, et toutes les corrections d'auteur non conformes à cette grammaire seront facturées. En cas de désaccord avec ces règles, le client aura le droit d'établir ses propres normes sur une feuille que l'on appelle la *marche*;

b) Si l'imprimeur ne possède pas de grammaire typographique à proposer au client, il composera le texte en suivant scrupuleusement la copie, et toutes les corrections d'auteur seront alors facturées au client.

En résumé, si le client désire un imprimé de qualité, il devra consulter d'abord la grammaire typographique de l'imprimeur et préparer son texte en suivant ces règles. Mais il a aussi le droit d'avoir ses propres normes d'écriture. C'est ce que l'on appelle sa *propriété artistique*.

2. La copie doit être dactylographiée

La copie doit être tapée à la machine à écrire. Les majuscules et les minuscules doivent être dactylographiées exactement. *Les accents doivent être mis sur les majuscules.* Les noms propres doivent avoir la même orthographe tout au long de l'ouvrage. Si, par erreur, le même nom propre est écrit différemment dans la copie, l'imprimeur adoptera l'orthographe du mot quand celui-ci apparaît pour la première fois et continuera à le composer de la même façon plus loin. Si ce premier nom propre comporte une faute, les corrections seront facturées au client. Les mots qu'on désire en *italique* devront être soulignés d'un trait. Ceux en **gras** seront soulignés d'un trait ondulé. Il faut écrire le mot «Fin» ou le nombre —30— pour indiquer que le texte est fini.

3. Double interligne

La copie doit être dactylographiée à double interligne afin que le marqueur de copie et le préparateur aient la place pour écrire leurs indications dans le texte. D'autre part, la copie non interlignée est toujours plus difficile à lire.

4. Marges de 45 mm partout

Il faut laisser une marge de 4,5 cm de chaque côté du texte, de même qu'en haut et en bas. Les marges de côté permettront au marqueur de copie de placer ses commandes pour l'ordinateur. La marge supérieure permettra de mentionner la justification. La marge inférieure servira à noter des indications qui concernent la page suivante.

5. Format de papier 210 x 297 mm (format international)

C'est le format de papier standard. Les autres formats ne sont pas pratiques sur le porte-copie ni dans les classeurs. Il faut en effet garder à l'esprit que tout maniement inhabituel pour un imprimeur entraîne une perte de temps qui se répercute sur le prix final de l'imprimé. Il ne faut jamais coller de ruban transparent sur la copie car la lumière s'y reflète et rend la lecture difficile pour l'opérateur.

6. Au recto seulement

La copie doit être tapée au recto de la feuille seulement. C'est très important. En effet, l'opérateur risque, par habitude, d'oublier de composer le verso. D'autre part, il est d'usage pour un imprimeur de tourner la copie face en dessous quand celle-ci a été composée ou montée. Tout papier vierge au verso signifiera pour lui que le travail en cours est terminé. S'il y avait du texte au verso de la copie, le typographe ne saurait pas s'il a fini ou non de travailler sur ledit document.

7. Pas de division de mot en bout de ligne

Le texte doit être dactylographié sans aucune division de mot ni trait d'union en bout de ligne. En effet, si la copie comporte un signe de division ou un trait d'union en bout de ligne, l'opérateur ne saura pas si l'auteur veut ce mot avec un trait d'union ou non. Cela est surtout important pour les noms propres que le rédacteur ne doit pas diviser.

8. Renfoncement aux alinéas

Il faut commencer les alinéas avec un espace blanc de plusieurs frappes. Sinon, quand la ligne précédente est pleine, l'opérateur ne peut pas savoir si l'auteur veut un nouvel alinéa ou pas. Il ne suffit pas de marquer à la main le signe de nouvel alinéa. Il faut effectivement laisser un espace blanc dactylographique de quelques frappes.

9. Folios en haut et à droite

Les numéros des pages devront être marqués en chiffres arabes en haut et à droite. Si l'auteur désire ajouter une page *bis*, il devra l'indiquer sur la page précédente. Par exemple, s'il veut ajouter une page 72 *bis* et une page 72 *ter*, il devra marquer sur la page 72: *Attention: 72 bis et 72 ter*. Cela préviendra la perte de feuilles.

10. Bon à composer

Quand l'auteur considérera que son texte est prêt pour la composition, et qu'il aura accepté ou non les suggestions du préparateur, il écrira et signera la mention *Bon à composer* sur la première feuille de la copie. Cette mention donnera à l'imprimeur l'autorisation de commencer la composition, après que la copie sera passée dans les mains du marqueur de copie. Cette méthode élimine tout risque de confusion sur le choix de la copie à composer.

11. Bon à tirer

La composition corrigée, l'auteur reçoit un premier jeu d'épreuves qu'on appelle les épreuves *en première*. Tous les jeux d'épreuves qui suivront porteront des numéros d'ordre chronologique. Le dernier jeu d'épreuves s'appelle le *bon à tirer*. Quand le client aura vérifié ce dernier jeu, il écrira et signera la mention *Bon à tirer*, donnant ainsi l'autorisation d'imprimer. Si les dernières corrections sont peu nombreuses, il pourra écrire et signer la mention *Bon à tirer après corrections*.

Le maquettiste

1. Maquette de l'imprimé

En possession des dimensions de l'imprimé final, le maquettiste fait un croquis indiquant la position des textes et des clichés.

2. Désignation des textes

Il met un chiffre arabe encerclé sur le croquis pour indiquer la position d'un texte. Il met le même chiffre arabe sur la copie correspondante. Cela permettra au monteur de situer la position d'un tel pavé de texte.

3. Désignation des clichés

Le maquettiste met une lettre majuscule encerclée sur le croquis pour indiquer l'emplacement d'un cliché. Il met la même lettre majuscule encerclée au dos du cliché (simili ou trait), parfois appelé *vélox*.

Le préparateur de copie

1. **Vérification des pages**

   Le préparateur doit vérifier si la copie est complète, c'est-à-dire voir s'il ne manque pas de pages et si celles-ci sont correctement numérotées.

2. **Vérification des notes**

   Il doit vérifier si les notes correspondent bien aux appels de notes. Les appels ont cinq formes diverses: un astérisque, un chiffre supérieur sans parenthèses, un chiffre supérieur entre parenthèses, un chiffre normal entre parenthèses ou une lettre bas de casse italique entre parenthèses.

3. **Vérification des dates**

   Il doit prendre garde aux transpositions dans les dates (par exemple, 1892 au lieu de 1982). Il doit aussi vérifier si la date est correcte. Par exemple, dans la date *dimanche 8 juin 1981*, il y a une erreur. Si le mot *dimanche* est correct, il faudra mettre *7 juin*. Mais si c'est *8 juin* qui est correct, il faudra mettre *lundi*. Cette vérification n'est cependant pas toujours possible, surtout si la date est éloignée.

4. **Vérification des énumérations**

   Dans les énumérations horizontales ou verticales, il doit vérifier si les chiffres ou les lettres d'énumération se suivent correctement. Dans les énumérations 1. 2. 4. ou *a*) *b*) *d*) il y a des erreurs car 3. et *c*) ont été sautés. Il doit vérifier la ponctuation (point-virgule à chaque partie et point final) et enfin vérifier la syntaxe de l'énumération.

5. **Vérification des clichés**

   Le préparateur vérifie si tous les hors-texte (photos, dessins et autres illustrations) sont bien marqués de leur lettre d'identification et si cette dernière correspond à celle de la maquette.

6. **Orthographe**

   Le préparateur corrige les fautes d'orthographe dont il est absolument sûr. En cas de doute, il devra proposer la correction à l'auteur en l'accompagnant d'un point d'interrogation encerclé. Avant de signer le *bon à composer*, l'auteur décidera si cette correction doit être faite.

7. **Uniformité des abréviations**

   Si les abréviations reviennent souvent, le préparateur doit s'assurer que le même mot est abrégé de la même façon tout au long de l'ouvrage. Il doit, évidemment, appliquer les règles concernant les abréviations.

8. **Les noms propres**

   Puisqu'il n'y a pas de règle d'orthographe qui s'applique aux noms propres, il faut que ces derniers soient bien transcrits la première fois qu'ils figurent dans le texte. Le préparateur surveillera leur uniformité.

9. **Les majuscules**

   Le préparateur doit s'assurer qu'un style d'emploi des capitales est suivi dans tout l'ouvrage. Les capitales sont une source d'ennuis pour un opérateur, car leur emploi dépend des circonstances.

10. Les espaces fixes

La valeur des espaces fixes utilisées avant la ponctuation haute devra être déterminée à l'avance. Certains auteurs préfèrent cette ponctuation plus détachée, d'autres la préfèrent plus rapprochée. Il faut décider avec le client de la valeur des espaces minimale et maximale entre les mots.

11. Bon à composer

Enfin, le préparateur présentera à l'auteur le *bon à composer*. Quand l'auteur aura signé ce dernier, la copie ira alors au marqueur de copie.

Le marqueur de copie

1. Choix du caractère

Pour décider du caractère, et en accord avec le client, le marqueur de copie devra considérer trois éléments qui l'aideront à faire son choix:

a) *La famille de caractères.* — Il a le choix entre un caractère avec empattement et un caractère sans empattement. On peut mélanger les deux familles dans une page, mais il faut éviter de les mélanger dans la même ligne. Les caractères sans empattement (*sansérifs*) servent à des textes administratifs, et ils sont à l'abri des modes changeantes. Les caractères avec empattement (*sérifs*) sont plus variés;

b) *La fonte.* — Il y a très peu de différence entre elles dans les fontes sans empattement. Dans les fontes avec empattement, le choix sera une question de goût personnel du client;

c) *La forme de l'œil.* — Composées dans le même corps, certaines fontes paraissent plus grosses les unes que les autres. Ainsi, une fonte d'un œil plus petit n'aura pas besoin d'être interlignée, alors qu'une fonte d'un œil plus gros aura besoin d'un supplément d'interlignage pour faciliter la lecture et donner plus d'air au texte.

2. Calibrage du texte

Le calibrage du texte est le calcul qui consiste à estimer combien de place prendra la copie quand elle sera imprimée. Considérons deux cas:

a) Si l'imprimeur possède un ordinateur et des écrans terminaux, le marqueur de copie n'aura pas de calcul préalable à faire. Le texte sera composé avec des commandes approximatives. Après avoir été envoyé à l'ordinateur pour justification, le texte est rappelé sur l'écran. La machine donne alors en picas, en pouces ou en cicéros la dimension verticale du texte. Si cette dimension est trop longue ou trop courte pour la surface prévue sur la maquette, l'opérateur change soit le corps, soit l'interligne, soit la chasse. En renvoyant le texte avec ces nouvelles commandes, il voit deux secondes après si la dimension est correcte;

b) Si l'imprimeur ne possède pas d'ordinateur, le marqueur de copie doit faire lui-même le calibrage du texte. Il compte alors le nombre de frappes contenues dans une ligne de la copie dactylographiée et multiplie par le nombre de lignes total. En sachant la longueur de l'alphabet dans chaque corps, le marqueur peut alors choisir le corps et l'interligne.

3. La disquette à l'imprimerie

Il est maintenant très facile de composer un texte sur son ordinateur personnel et donner ensuite la disquette à un imprimeur qui la passera sur sa photocomposeuse afin d'en sortir un texte composé en caractères typographiques. Rappelons toutefois que les quatre paramètres d'un texte imprimé sont : la fonte, le corps, l'interligne et la mesure. Nous donnons ci-dessous une liste des espacements de la ponctuation sur l'ordinateur, qui sont les mêmes qu'en dactylographie.

	espacement avant	après
Apostrophe	0	0
Arithmétique : signes + — × : −	1	1
Astérisque placé après le mot auquel il se rapporte	0	1
Astérisque placé avant le mot auquel il se rapporte	1	0
Barre oblique	0	0
Deux-points	0	1
Deux-points dans la représentation numérique de l'heure	0	0
Dollar (symbole : $) et cent (symbole : ¢)	1	1
Franc (symbole : F)	1	1
Guillemets, parenthèses, crochets ouvrants	1	0
Guillemets, parenthèses, crochets fermants	0	1
Heure (symbole : h)	1	1
Point final d'une phrase et point abréviatif	0	1
Point abréviatif dans les sigles	0	0
Points de suspension (toujours collés entre eux)	0	1
Points elliptiques (toujours collés entre eux)	1	1
Points elliptiques entre parenthèses ou crochets	0	0
Point d'exclamation et point d'interrogation	0	1
Point-virgule	0	1
Pourcentage (signe : %)	1	1
Symboles : l, cl, m, km, cm, mm, g, kg, dB, Hz, ko, Mo, etc.	1	1
Tiret sur cadratin : en dactylo, deux traits d'union collés (--)	1	1
Trait d'union	0	0
Virgule	0	1
Virgule décimale	0	0

Quelques conseils :

— Donner à l'imprimeur la marque de l'ordinateur qu'on a utilisé ainsi que le logiciel, afin que le typographe vérifie la compatibilité.

— Fournir sur la disquette un exemplaire du clavier complet, ainsi qu'une épreuve sur papier. Cela permettra de localiser les accents.

— Composer toutes les notes en fin de volume. Elles seront ensuite placées au bon endroit par l'imprimeur.

— Taper en majuscules ce qui doit être imprimé en majuscules.

— Mettre les accents sur les majuscules.

— Ne pas utiliser la lettre *l* pour signifier le chiffre *1*.

— Ne pas mettre d'espace avant un deux-points.

— Ne jamais taper deux espaces de suite.

— Ne pas utiliser de trait d'union pour diviser des mots en fin de ligne.

— Si l'ordinateur personnel peut composer en gras et en italique, il est probable que la photocomposeuse pourra les lire.

L'opérateur

1. Imprimerie sans ordinateur

Si la copie a été préparée et marquée à l'avance, l'opérateur peut alors concentrer son effort sur la rapidité et la propreté. La photocomposition a créé la fonction de préparateur de copie car l'opérateur ne peut plus, en composant, faire les corrections nécessaires. Le temps du préparateur sera largement compensé par une plus grande rapidité de l'opérateur.

2. Imprimerie avec ordinateur

L'opérateur travaillant dans une imprimerie qui possède un ordinateur a un rôle important car il peut se servir de son écran pour remplacer le marqueur de copie. En effet, il est inutile pour un marqueur d'indiquer le corps d'une ligne alors qu'il ne peut que tenter de prévoir que cette ligne rentrera dans la mesure donnée. Il sera plus facile pour l'opérateur de composer cette ligne dans un corps plus gros et réduire ensuite jusqu'à ce qu'il ait trouvé le corps recherché.

Quand l'opérateur considère que la composition sur son écran est correcte, qu'il l'a relue et vérifiée, il frappe une touche pour que le texte soit photographié. De la photocomposeuse sortira alors son texte sur un papier contenant du bromure d'argent et que l'on appelle le *bromure*.

Le typographe

Le typographe fait le *montage* de l'imprimé. Il coupe le bromure et place les différentes parties selon la maquette. Le bromure est enduit au verso de cire chaude, qui permet au papier de rester en place tout en n'étant collé que faiblement afin de pouvoir être déplacé au besoin.

Le correcteur d'épreuves

1. Corrections à l'encre noire

Le correcteur marque à l'encre noire les fautes qui sont des erreurs par rapport à la copie préparée. Ces corrections à l'encre noire ne seront pas facturées au client, puisque ce sont des fautes de l'opérateur.

2. Corrections à l'encre rouge

Il marque à l'encre rouge les fautes qui sont dues à l'auteur puisque celui-ci a signé le *bon à composer*, acceptant donc la copie préparée. Ces corrections seront facturées au client.

3. Corrections au crayon

Quand le correcteur remarque un mot dont il suspecte l'orthographe ou qu'il a un doute sur la syntaxe, la construction de la phrase, etc., il doit attirer l'attention de l'auteur en marquant au crayon le passage en question et en l'accompagnant d'un point d'interrogation *encerclé*. Si l'auteur considère que la correction se justifie, il la marquera lui-même à l'encre rouge; s'il considère que la suggestion du correcteur n'est pas à retenir, il effacera tout simplement l'annotation qui était au crayon.

LA CORRECTION D'ÉPREUVES

1. **Photocomposition.** — En photocomposition, beaucoup d'erreurs ne sont pratiquement plus possibles. Par exemple, dans un texte courant, il ne peut plus arriver qu'une lettre soit par erreur imprimée à l'envers. C'est la raison pour laquelle nous n'avons pas mentionné ce signe de correction.

2. **Place des signes.** — Les signes se mettent du côté le plus rapproché de la faute. Quand il y a plusieurs fautes dans la ligne, on marque les signes successivement, en s'éloignant du texte.

3. **Plusieurs lectures.** — Le correcteur doit faire deux lectures : la première consiste à découvrir les fautes de frappe, d'orthographe, etc., c'est-à-dire à comparer l'épreuve et la copie. Il doit lire les numéros de téléphone en les prononçant à voix basse. La seconde lecture consiste à relire tout le texte sans s'occuper des fautes de frappe qu'il a déjà mentionnées. Cette lecture lui permet de s'attacher au fond, c'est-à-dire de vérifier si la phrase est correcte et sans ambiguïtés. Cette seconde lecture demande en durée environ un quart de la première lecture.

4. **Teneur de copie.** — Le teneur de copie est la personne qui lit la copie à haute voix tandis que le correcteur lit l'épreuve. Cette façon est la meilleure. En effet, il est fatigant pour un correcteur qui lit seul de déplacer ses yeux de la copie à l'épreuve et inversement. Il risque des *bourdons* (parties de texte sautées) ou des *doublons* (parties composées deux fois). Quand le teneur de copie lit une expression dans laquelle existe un risque de confusion, il modifie la prononciation. Par exemple, s'il lit l'expression *les tarifs de vins blancs,* pour faire comprendre au correcteur que les mots *vins blancs* sont au pluriel sur la copie, le teneur prononce : *les tarifs de vinss blancs.*

5. **Passages corrigés à relire.** — Quand une seule ligne de correction a été faite pour être collée sur la ligne fautive, l'opérateur ne marque aucune indication. Mais s'il a recomposé plusieurs lignes parce que la correction l'exigeait, il doit marquer d'une accolade le pavé de texte qui a été recomposé et qui doit donc être relu par le correcteur.

6. **Indications.** — Quand le correcteur désire transmettre une indication à l'auteur, au monteur ou à l'opérateur, il doit s'assurer que cette indication ne sera pas interprétée comme un texte à composer. *Toutes ces indications seront donc encerclées.* Par exemple, quand il veut que l'opérateur compose le signe ? dans le texte, il marque ⟨? non encerclé dans la marge. S'il veut simplement attirer l'attention de l'auteur, le signe ⑦ sera encerclé.

7. **Commentaires.** — Dans le *texte à corriger* de la page 28, nous avons mentionné la façon usuelle de marquer. Mais cette façon peut différer selon les circonstances, les travaux et les imprimeries. L'important, c'est de rester clair. Par exemple, au lieu de marquer plusieurs sortes de signes pour corriger un mot, il vaut mieux écrire le mot entier corrigé dans la marge. Quant à la méthode qui consiste à marquer plusieurs traits pour indiquer les différentes faces, nous pensons qu'elle tend à disparaître. En effet, les machines peuvent changer la face des caractères de dizaines de façons. Faudrait-il un nombre différent de traits (ondulés ou droits), pour indiquer chacune d'elles ?

Les signes de correction d'épreuves

cadratin	□	changer une lettre	é/
demi-cadratin	◩	changer un mot	/deux/
espace fine	⊠	lettre abîmée	⊘
espace justifiante	#	insérer	⋏
point	⊙	ajouter une lettre	⋏u
virgule apostrophe	◠҆ ◡҆	ajouter un mot	⋏une
indice (chiffre)	◠2	supprimer une lettre	᧽/
exposant (signe, lettre ou chiffre)	◡* ◡e ◡2	supprimer un mot	᧽⊢
rapprocher sans joindre	⌢	supprimer et coller	᧽/⊃
joindre	⌣	supprimer et espacer	᧽/#
trait d'union et joindre	=⌣	transposer	⌐⌐
tiret d'un cadratin	/—/	faire suivre	⟿

réduire le blanc	⟶⟩	en bas de casse (léger romain)	*bdc léger rom.*
augmenter le blanc	⟶#	en bas de casse (léger italique)	*bdc léger ital.*
pousser à gauche	⌐	en bas de casse (gras romain)	*bdc gr. rom.*
pousser à droite	⌐	en bas de casse (gras italique)	*bdc gr. ital.*
pousser à gauche et à droite, donc justifier	⌐ ⌐	en capitales et bas de casse	*c/b*
pousser à droite et à gauche, donc centrer	⌐⌐	en capitales (léger romain)	*cap. léger rom.*
faire nouvel alinéa		en capitales (léger italique)	*cap. léger ital.*
justifier à gauche justifier à droite		en capitales (gras romain)	*cap. gr. rom.*
chasser sur la ligne suivante	et	en capitales (gras italique)	*cap. gr. ital.*
porter sur la ligne précédente	le	en petites capitales (romain)	*p.c.*
aligner verticalement	‖	ne rien changer	*bon*
aligner horizontalement	═	voir copie	*v. copie*
descendre en bas de casse (sauf le P)	PICADOR	questionner l'auteur	*(?)*

Texte à corriger

RECETTES DE CUISINE

Le chou d'Espagne à la sauce Picador

Achetez un kilo de choux d'Espagne en vous les faisant envoyer franco. Arrosez-les de rhum en «céro» après les avoir coupés en quatre dans un boléro. Faites chauffer sur flamenco quelques escurials bien mûrs que vous aurez réduits en poudre à l'aide de ~~trois~~ bonnes et solides casse-tagnettes.

Lorsque la cuisson des choux vous siéra, mélangez le tout, passez à travers une mantille et arrosez de sauce PICADOR. Vous pouvez d'hirondelle ou, mieux, d'un nid d'Halgo.

Recette féminine

Il s'agit là d'une recette de Virginie. Prépparez une julienne très claire dans une sauce blanche, avant de faire fondre une ~~une~~ rose en sucre.

Laissez chauffer au bain marie en y ajoutant des pétales de marguerite, des crêpes Suzette, clémentine et une madeleine. Tournez avec constance.

COMMENT AGRANDIR UN MEUBLE

Si vous avez une commode avec quatre tiroirs, voici une méthode idéale pour en obtenir ~~de~~ multiples avantages:

a) Enlevez les tiroirs;

b) Placez-les à côté de la commode;

c) Superposez les tiroirs les uns sur les autres;

d) Mettez une cale de bois de 10 cm entre eux.

Vous avez ainsi la disponibilité de vos tiroirs et aussi de la commode dont vous pouvez faire un coffre en défonçant le dessus, ou un meuble à étagères, celles-ci se trouvant aux endroits des tiroirs.

Texte corrigé

RECETTES DE CUISINE

Le chou d'Espagne à la sauce Picador

Achetez un kilo de choux d'Espagne en vous les faisant envoyer franco. Arrosez-les de rhum en «céro» après les avoir coupés en quatre dans un boléro. Faites chauffer sur flamenco quelques escurials bien mûrs que vous aurez réduits en poudre à l'aide de deux bonnes et solides castagnettes.

Lorsque la cuisson des choux vous siéra, mélangez le tout, passez à travers une mantille et arrosez de sauce Picador. Vous pouvez accompagner d'un nid d'hirondelle ou, mieux, d'un nid d'Halgo.

Recette féminine

Il s'agit là d'une recette de Virginie. Préparez une julienne très claire dans une sauce blanche, avant d'y faire fondre une rose en sucre.

Laissez chauffer au bain-marie en y ajoutant des pétales de marguerite, des crêpes Suzette, une clémentine et une madeleine.

Tournez avec constance.

COMMENT AGRANDIR UN MEUBLE

Si vous avez une commode avec quatre tiroirs, voici une méthode idéale pour en obtenir de multiples avantages:

a) Enlevez les tiroirs;

b) Placez-les à côté de la commode;

c) Superposez les tiroirs les uns sur les autres;

d) Mettez une cale de bois de 10 cm entre eux.

Vous avez ainsi la disponibilité de vos tiroirs et aussi de la commode dont vous pouvez faire un coffre en défonçant le dessus, ou un meuble à étagères, celles-ci se trouvant aux endroits des tiroirs.

LA MARCHE

La marche est la feuille d'instructions que le client doit donner à l'imprimeur.
Nous avons rempli la formule avec les instructions qui concernent ce livre.

MESURES

Horizontalement	24,5 picas (24 picas 6 points)
Verticalement	42 picas

TEXTE

Fonte	Times
Corps	9,7 points
Interligne	10 points
Composition	au carré avec rentrée
Renfoncement d'alinéa	1,5 pica (1 pica 6 points)
Chiffres d'énumération	à découvert
Notes	080/085

TITRES

Matières non enseignées	Times gr. c/b, 20 pt (à gauche)
Chapitres	Newton gr. cap., 30 pt (centrés)
Sous-chapitres	Newton gr. cap., 18 pt (centrés)
Sections	Newton gr. ital. c/b, 16 pt (à gauche)
Articles	Newton gr. c/b, 14 pt (à gauche)
Paragraphes	Times gr. c/b, 9,7 pt
Alinéas	du texte

COMMANDES

Divisions de suite	aucune division de mot en fin de ligne
Espace intermot maximale	trois quarts de cadratin
Espace interlettre	pas d'espace interlettre supplémentaire
Mots semblables	trois (maximum) en fin de ligne
Lettres semblables	quatre (maximum) en fin de ligne
Mot seul en fin d'alinéa	non
Blanc en fin d'alinéa	pas inférieur au renfoncement d'alinéa
Ligne creuse	pas inférieure au renfoncement d'alinéa
Séparations	aucune
Accents sur les capitales	oui
Ligatures	non

Chapitre II

COUPURES

Terminologie

- **Le trait d'union** est le signe qui sert à **unir** deux ou plusieurs mots.
- **La division** est le signe qui sert à **diviser** un mot en bout de ligne.
- **La séparation** est le fait d'avoir sur deux lignes différentes deux mots qui, selon les règles, devraient rester sur la même ligne.
- **La coupure** est le terme qui englobe la division et la séparation.

Trait d'union et division

Le trait d'union s'appelle en anglais *hard hyphen* alors que la division se nomme *soft hyphen*. Cette appellation imagée de trait d'union «dur» et trait d'union «tendre» nous fait comprendre que le trait d'union subsistera quoi qu'il arrive, alors que la division ne sera là que temporairement pour diviser un mot en fin de ligne. Les deux, évidemment, seront représentés par le même signe quand le texte sera imprimé. Mais sur l'écran, au moment de la composition, la division est différente du trait d'union.

L'explication de cette différence est la suivante: si, par exemple, le mot *coupure* ne peut pas rentrer dans la ligne, l'ordinateur le divisera de cette façon:

cou-

pure

selon la règle typographique. Si plus tard l'auteur ajoute un ou plusieurs mots avant le mot *coupure* et qu'ainsi la syllabe *cou-* se trouve chassée sur l'autre ligne, le signe de division disparaîtra et le mot entier sera reformé automatiquement.

Par contre, dans le mot *timbre-poste*, le signe est un trait d'union. Si ce mot arrive en fin de ligne et ne peut pas rentrer, l'ordinateur le divisera de cette façon:

timbre-

poste

selon la règle. Si l'auteur décide d'ajouter un ou plusieurs mots avant le mot *timbre-poste*, la partie du mot qui se trouvait en fin de ligne (timbre-) sera alors chassée sur la ligne suivante et le mot entier sera reformé automatiquement avec son trait d'union.

DIVISION

Avec la photocomposition, le problème de la division de mot pour l'opérateur a été grandement facilité. En effet, les systèmes munis d'un ordinateur contiennent un lexique où sont notées toutes les divisions permises. L'opérateur frappe donc sans se soucier de la justification des lignes. D'autres commandes peuvent aussi être données à l'ordinateur avant de commencer un travail:

1. Le nombre maximal permis de mots ou de lettres semblables de suite en fin de ligne;
2. Le nombre maximal permis de divisions de suite;
3. Le nombre maximal permis de lettres avant et après une division;
4. On peut demander à l'ordinateur de ne pas faire de division de mot;
5. On peut lui demander de ne pas mettre d'espace interlettre excessif.

Si l'on donne à la fois ces deux dernières commandes, après avoir donné à l'ordinateur un chiffre minimal et un chiffre maximal d'unités permis entre les mots, le cas suivant peut se produire. Si un mot très long tombe en fin de ligne et ne peut pas rentrer, l'ordinateur ne le divise pas, l'envoie sur la ligne suivante et justifie la ligne sans lui. Il ne tient alors pas compte du maximum d'unités permis et justifie avec une espace entre les mots supérieure à un cadratin s'il le faut. Cela n'étant pas acceptable visuellement, il vaut mieux alors tourner la phrase autrement.

Principes de la division

a. **Division étymologique.** — La division étymologique consistera à reconnaître la formation du mot, donc à diviser selon les éléments.

> chlor-hydrique

b. **Division syllabique.** — Il est parfois difficile pour un opérateur de reconnaître l'étymologie d'un mot formé d'éléments latins ou grecs. La division syllabique sera donc tolérée.

> chlo-rhydrique

c. **Division entre les doubles consonnes.** — On doit diviser entre les doubles consonnes contenues dans un mot, excepté quand elles se trouvent dans une syllabe muette.

> com-mis-sion   feuille

d. **Qualité du travail.** — Les règles concernant la division dépendent de la qualité du travail. Il est évident qu'on sera plus tolérant pour un journal qui se fait et se lit rapidement que pour un livre qui peut se faire plus lentement et qu'on garde.

e. **Justification.** — Les règles dépendent aussi de la mesure. Plus les lignes seront courtes, plus on sera alors tolérant sur le nombre de divisions et sur le nombre de lettres avant et après une division.

Règles de la division

(Dans les exemples ci-dessous, les divisions interdites ont été marquées par une barre oblique et les divisions permises par un trait d'union.)

1. **Première lettre.** — Ne pas diviser après la première lettrc d'un mot, même si elle est précédée d'une apostrophe.

    i / tinérant   l'é / ternité

2. **Voyelles.** — Ne pas diviser entre deux voyelles, sauf si l'étymologie le permet.

    cré / ancier   pro-éminent

3. **Lettres *x* et *y*.** — Ne pas diviser avant ni après les lettres *x* ou *y* placées entre deux voyelles.

    deu / x / ième   cro / y / ance

4. **Apostrophe.** — Ne jamais diviser après une apostrophe.

    aujourd' / hui   presqu' / île

5. **Syllabe finale.** — Ne pas diviser avant une syllabe finale accentuée de moins de trois lettres, ni avant une syllabe finale muette de moins de quatre lettres.

    opportuni / té   uni / que

6. **Trait d'union.** — Ne diviser un mot composé qu'à son trait d'union.

    porte-mon / naie   tim / bre-poste

7. **Plusieurs traits d'union.** — Ne pas diviser un groupe de mots qui contient deux traits d'union après le second mais après le premier, afin de ne pas avoir deux traits d'union rapprochés en fin de ligne.

    c'est-à / dire   aima-t / elle

8. **Abréviations.** — Ne jamais diviser les abréviations d'aucune sorte.

    géo / gr. (géographie)   ap / prox. (approximativement)

9. **Sigles et acronymes.** — Ne pas diviser les sigles ni les acronymes, qu'ils soient écrits avec des points abréviatifs ou non.

    U.R. / S.S.   BE / NE / LUX

10. **Nombres.** — Ne pas diviser les nombres s'ils sont écrits en chiffres.

    15 235, / 50   10 000 / 000

11. **Alinéa.** — Ne pas diviser le dernier mot d'un alinéa.

12. **Belle page.** — Ne pas diviser le dernier mot d'une belle page, c'est-à-dire la page de droite (page impaire).

13. **Mots en fin de ligne.** — Ne pas diviser plus de trois mots de suite en fin de ligne. Il faut également éviter d'avoir des mots ou des lettres semblables de suite sur plusieurs fins de lignes.

SÉPARATION

En typographie de qualité, il est des groupes de mots que l'on ne doit pas *séparer*, c'est-à-dire permettre qu'un mot du groupe se trouve à la fin d'une ligne et le mot suivant sur la ligne suivante.

Principes de la séparation

Afin d'éviter les séparations non permises énumérées dans les règles ci-dessous, l'opérateur a donc deux possibilités:

a. **Espaces justifiantes.** — Il peut mettre des espaces justifiantes entre les mots qui ne doivent pas se séparer, en courant le risque qu'une séparation non permise se produise. Dans ce cas, au moment où il rappellera sa composition sur l'écran, il fera alors la correction.

b. **Espaces fixes.** — Il peut composer en se servant d'espaces fixes entre les mots qui ne doivent pas se séparer. Par exemple, entre *M.* et *Dupont,* il peut mettre une espace fixe, et l'ordinateur ne les séparera pas. Le risque, avec cette méthode, est de se trouver avec une espace entre *M.* et *Dupont* qui sera différente des autres espaces de la ligne. La première méthode est préférable.

Règles de la séparation

Comme celles de la division, les règles de la séparation dépendent de la longueur de la justification. Plus celle-ci est courte, plus on est tolérant.

1. **Symboles et unités de mesure.** — Ne pas séparer les nombres en chiffres des symboles qui les accompagnent.

20 $	21 x 27 cm	15 h 30

2. **Énumération.** — Dans un texte courant, ne pas séparer le chiffre ni la lettre d'une énumération du texte qui la suit ou qui la précède.

chapitre II	art. 3	Henri IV
XI. Typographie	3. Coupures	a) Les bénéfices

3. **Dates.** — Ne pas séparer les éléments des dates. Une tolérance peut être accordée dans le second exemple, où l'on pourra séparer le nom du jour (lundi) de la date.

24 juin 1948	lundi 11 mai 1981

4. **Titres.** — Ne pas séparer les prénoms, les titres de fonction ou de civilité des noms propres qu'ils accompagnent.

A. Dupont (*Andrée*)	Mᶜ Dubois (*maître*)	M. Dupont (*monsieur*)

5. **Alinéa.** — Ne pas laisser à la fin d'un alinéa un mot ni un blanc plus court que le renfoncement de l'alinéa. Il ne faut pas non plus laisser une ligne creuse à la tête d'une page ni d'une colonne de journal.

Chapitre III

NOMBRES

La difficulté est de savoir si l'on doit écrire un nombre en lettres ou en chiffres. Nous donnons donc ci-dessous les *principes* concernant les différents travaux, et en page suivante les *règles* s'appliquant aux travaux ordinaires.

Principes

a. **Travaux scientifiques.** — Les nombres s'écrivent en *chiffres* dans les travaux scientifiques. Ces ouvrages en comportent beaucoup et les écrire en lettres prendrait plus de place. Il faut dire aussi que la lecture d'un nombre écrit en chiffres est plus facile.

b. **Travaux littéraires.** — Les nombres s'écrivent en *lettres* dans les poèmes, les vers, etc. Ces ouvrages comportent moins de nombres et ceux-ci donnent rarement lieu à des comparaisons.

c. **Travaux légaux.** — Dans ces travaux, on écrit le nombre en *lettres,* puis on le répète en *chiffres* entre parenthèses. Si l'un d'eux était rendu illisible à l'impression, l'autre donnerait alors la précision.

d. **Travaux ordinaires.** — Dans tous les travaux ordinaires, quand les nombres ne tombent pas dans une catégorie mentionnée dans les règles de la page suivante, ils s'écrivent :

1. En *lettres* pour les nombres de **un à neuf** inclus.

   Il y avait huit personnes à la réunion.

2. En *chiffres* pour les nombres **à partir de 10.**

   Il y avait 12 personnes à la réunion.

3. Si les deux catégories se trouvent dans la même phrase, on écrit tous les nombres en *chiffres.*

   Il y avait de 8 à 12 personnes à la réunion.

Règles des nombres

L'écriture des nombres suivra le principe **d** de la page précédente, excepté notamment dans les cas suivants:

1. **Début de phrase.** — Un nombre au début d'une phrase s'écrit en *lettres*. On évitera cette construction si le nombre est très grand.

   Il y avait 25 personnes. Quinze d'entre elles se levèrent.

2. **Numéros d'articles, lois, loteries, pages, circulaires et adresses.** Généralement, tous les numéros d'ordre s'écrivent en chiffres. On ne met aucune espace.

l'article 1456	la page 2378
la loi 1578	la circulaire 6787-67
le billet 378657	12478, rue Dupont

3. **Pourcentages.**

   a) *Écriture.* — Les nombres dans les pourcentages doivent s'écrire en chiffres. Le signe % est détaché du nombre par une espace fine.

50 %	3,5 %	12½ %	6,5 p. 100

   b) *Emploi des différentes formes.* — On emploiera la forme % dans les textes scientifiques (où les comparaisons sont nombreuses) ainsi que dans les tableaux. La forme *p. 100* sera utilisée dans les textes ordinaires quand il y a peu de comparaisons. Enfin, la forme *pour cent* sera utilisée dans les textes littéraires (poèmes).

4. **Dates.** — Les quantièmes indiquant le *jour* et l'*année* s'écrivent en chiffres dans les travaux ordinaires (on ne met pas d'espace dans l'année). Ils peuvent s'écrire en lettres dans les travaux légaux.

   19 février 1982   dix-neuf février mille neuf cent quatre-vingt-deux

5. **Moment précis.** — Un nombre qui exprime un moment précis doit toujours s'écrire en *chiffres*. Si le nombre est entier, on peut utiliser l'unité au long ou son symbole; s'il est complexe, on doit toujours utiliser le symbole.

   Elle est arrivée à 9 heures (*ou* 9 h) et elle est repartie à 15 h 30.

6. **Durée.**

   a) *Nombre entier.* — Si le nombre est entier, on suit le principe **d** des nombres (en lettres de *un* à *neuf* inclus). L'unité s'écrit au long.

   Le voyage a duré trois heures en automobile.
   Le voyage a duré 15 heures en automobile.

   b) *Nombre complexe.* — Si le nombre est complexe, il doit toujours s'écrire en chiffres et on utilise les symboles.

   Le voyage peut durer entre 9 h 35 min et 12 h 45 min en tout.

7. **Fractions.** — Les fractions s'écrivent sans la lettre *e* supérieure.

un obturateur au 1/125 de seconde

a) En lettres. — Elles s'écrivent en lettres quand elles ne sont pas précises mais sont simplement une indication approximative.

Elle est arrivée avec une demi-heure d'avance.
La distance est d'environ trois quarts de kilomètre.

b) En chiffres. — Elles s'écrivent en chiffres quand elles indiquent une quantité plus précise.

L'épaisseur est de 8/10 de millimètre.

8. **Votes.** — Les nombres indiquant le résultat d'un vote s'écrivent toujours en *chiffres*.

Le résultat du vote fut le suivant: 16 voix pour et 5 voix contre.

9. **Cartes à jouer.** — Les nombres des cartes s'écrivent en *lettres*.

le neuf de carreau   le dix de pique

10. **Classes.** — Les nombres qualifiant des classes d'école, de train ou d'avion s'écrivent en *lettres* et en bas de casse.

la classe de quatrième   en deuxième année
la troisième C   voyager en première

11. **Les âges.** — Les nombres qualifiant les âges ne font pas exception et suivent le principe *d* des nombres (en *lettres* de *un* à *neuf* inclus).

Cet enfant a deux mois.   Victor Hugo est mort à 83 ans.

12. *Un* (adjectif numéral). — Quand *un* est adjectif numéral et non pas article indéfini, on fera l'élision seulement s'il est suivi de décimales dans l'écriture en lettres.

une longueur de un mètre
une longueur d'un mètre soixante-quinze (*suivi de décimales*)
la longueur d'un terrain (*article indéfini*)

13. **Espacement des nombres.** — Les nombres représentant une quantité sont séparés en groupes de trois détachés par une espace fine, même les décimales. Si le nombre ne comporte que quatre chiffres, on peut l'écrire avec ou sans espace.

23 234,124 34   2 000 000 $ 13 234,35 $ 2 325 $ 2325 $

14. **Chiffres romains.** — On compose en chiffres romains les numéros qualifiant les génériques suivants: *chapitres, régimes politiques, souverains, siècles, manifestations périodiques, actes de théâtre.*

le chapitre IV   le XVIIe siècle
la IIIe République   les XIXes Jeux olympiques
Louis XIV   l'acte VII

Dollars et cents

1. **Place des symboles.** — Les sommes d'argent accompagnées de leur symbole s'écrivent en chiffres. Le symbole se place *après* le nombre complet (décimales comprises). Le symbole est détaché du nombre par une espace fine. Les tranches de trois chiffres sont détachées par une espace fine. Les nombres de quatre chiffres peuvent s'écrire avec ou sans espace. On met la virgule décimale collée et non le point.

15 250 $	10,50 $	2,10 $/m²	0,45 $/cm = 45 $/m
2 456 $	5 $/kg	50 ¢ = 0,50 $	45 $/m = 45 ¢/cm

2. **Nombre entier.**

   a) Sans comparaison. — Si le nombre est entier (sans décimales) et qu'il n'y a pas comparaison, il est inutile d'employer la virgule et les zéros.

   Cette maison a coûté 58 000 $ en 1982.
   Cet article coûte 15 $ en magasin.

   b) Avec comparaison. — Si le nombre est entier (sans décimales) et qu'il y a comparaison, on **peut** alors utiliser la virgule suivie des deux zéros.

   Le prix de cet article est passé de 15,00 $ à 15,75 $ récemment.

3. **Tableaux.** — Dans une colonne de tableau, on doit aligner les dollars et les cents. Il faut alors utiliser la virgule et les deux zéros. En cas de présence de chiffres inférieurs à l'unité, on met un zéro (0) avant la virgule. Le signe du dollar peut se mettre avant ou après, toujours détaché par une espace fine.

56 320,50 $	$ 56 320,50
3 528,00	3 528,00
0,55	0,55

   ● Nous suggérons, bien qu'aucune norme officielle ne l'indique, l'emploi des formes suivantes (sans espace) en tête des colonnes de statistiques :

   k$ (milliers de dollars) **k** *est le préfixe* kilo (1 000)
   M$ (millions de dollars) **M** *est le préfixe* méga (1 000 000)

4. **Somme écrite en lettres.** — On ne doit pas utiliser un symbole avec une somme en *millions* écrite entièrement ou partiellement en lettres. On applique le principe *d* des nombres : en lettres de un à neuf, en chiffres à partir de dix. Si le nombre n'est pas entier, on l'écrit en chiffres. Les sommes avec le mot *mille* s'écrivent en chiffres, avec leur symbole.

   On a accordé trois millions de dollars à cette organisation.
   On a accordé trois millions à cette organisation.
   On a accordé 15 millions à cette organisation.
   On a accordé 15,5 millions à cette organisation.
   On a accordé 3,5 millions à cette organisation.
   On a accordé 3 000 $ à cette organisation.

   Comme on le voit, on peut, dans un titre de journal, supprimer le mot *dollars* car le lecteur sait bien, d'après le contexte, qu'il s'agit de dollars au Canada et de francs en France. Mais en aucun cas on ne doit écrire

   trois millions $ ni   *$3 millions*   ni   *$3,000,000*

Chapitre IV

ABRÉVIATIONS

Ce chapitre comprend deux sous-chapitres: *a)* les abréviations courantes, dont nous donnons les principes, les règles d'écriture et une liste partielle; *b)* le système international d'unités (SI) et les unités hors SI admises, dont nous donnons les règles d'écriture et une liste partielle des abréviations, que l'on appelle *symboles*

LES ABRÉVIATIONS COURANTES

Principes

a. **Principe général.** — On doit éviter d'abréger un mot qui a une *fonction grammaticale* dans la phrase. Seules font exception à ce principe les abréviations des titres de civilité, honorifiques ou religieux, à condition que l'on parle de la personne et que figure son nom ou sa qualité.

b. **Emploi.** — Les abréviations courantes peuvent s'employer dans les *notes,* les *petites annonces* et les *dictionnaires,* c'est-à-dire partout où un manque de place évident justifie l'emploi de mots abrégés.

c. **Texte courant.** — Dans un texte courant, il faut garder en mémoire qu'un mot abrégé est en quelque sorte une impolitesse (minime, avouons-le) envers le lecteur. Les chiffres eux-mêmes sont des abréviations de mots, mais ils sont acceptés la plupart du temps.

d. **Généralement, ce n'est pas une faute que d'écrire les mots au long.** Ce sont les abréviations qui sont les exceptions et qui comportent des règles que nous donnons à la page suivante.

Règles des abréviations courantes

1. **Finales.** — On supprime les lettres finales, toujours devant une voyelle. L'abréviation prend le point abréviatif car sa dernière lettre n'est pas celle du mot entier.

    hab. (habitant)   mod. (moderne)   art. (article)

2. **Intérieures.** — On supprime des lettres à l'intérieur du mot, surtout des voyelles. L'abréviation ne prend pas le point abréviatif car sa dernière lettre est celle du mot entier.

    tjs (toujours)   jms (jamais)   qqn (quelqu'un)

3. **Initiale.** — On garde la première lettre seulement. L'abréviation prend un point abréviatif quand elle n'est pas un *symbole* (SI).

    M. (monsieur)   v. (voir)   t. (tome)

4. **Pluriel.**

    a) *Généralement*, les abréviations sont invariables.

    hab. (habitants)   mod. (modernes)   art. (articles)

    b) *Exceptionnellement*, certaines abréviations prennent le pluriel.

    Mme (Mmes)   Mlle (Mlles)

5. **Ponctuation avec les abréviations.**

    a) Le point abréviatif disparaît devant le point final et les points de suspension. On n'aura donc pas deux points ni quatre points collés.

    Nous considérerons le lieu, la date, etc. Ensuite nous déciderons.
    Elles ont visité l'O.N.U... Quelle merveille!

    b) Le point abréviatif ne disparaît pas devant tous les autres signes de ponctuation basse ou haute.

    Nous considérerons le lieu, la date, etc., et nous déciderons.
    Savez-vous qu'elles ont visité l'O.N.U.?

6. **Capitales.** — Les abréviations suivent les règles des capitales.

    Antiq. (Antiquité, l'époque)   antiq. (antiquité, un objet)

7. **Compagnie.**

    a) *S'il fait partie de la raison sociale*, ce mot s'écrit au long avec une capitale initiale s'il est au début. Il s'abrège en **Cie** ou **Cie** s'il est placé à la fin de la raison sociale.

    la Compagnie générale d'électricité   Dupont & Cie

    b) *S'il ne fait pas partie de la raison sociale*, il s'écrit au long, en bas de casse, car il est simplement le générique de la dénomination.

    la compagnie Radio-Canada

La raison sociale de cette compagnie est: Société Radio-Canada.

8. Sigles et acronymes.

Sigle: Groupe de lettres initiales qui constituent l'abréviation de termes fréquemment employés (O.N.U., Unesco). — *Acronyme:* Mot constitué par les premières lettres des mots composant une expression complexe (Benelux).

a) Formes. — En théorie, les sigles français s'écrivent avec des points abréviatifs, les sigles étrangers ne comportent pas de points.

> O. T. A. N.   Unesco

O. T. A. N., sigle de *Organisation du traité de l'Atlantique Nord.*
Unesco, nom formé des initiales des mots anglais *United Nations Educational, Scientific and Cultural Organization.*

Dans la pratique, on trouve les sigles écrits avec ou sans points abréviatifs, tout en capitales ou avec seulement une capitale initiale. On les voit écrits comme de simples noms quand leur prononciation le permet. Dans ce dernier cas, ils peuvent prendre la marque du pluriel. (Au Québec, les lettres des sigles sont collées.)

> C.E.C.M.   CECM   C.e.c.m.   Cecm   les cégeps

Les acronymes s'écrivent sans points abréviatifs (exemple: l'Acnor).

b) Espacement des sigles et des abréviations de plusieurs mots. — Les lettres des sigles sont détachées par une espace fine. On utilise une espace justifiante pour détacher les abréviations de plusieurs mots abrégés en plusieurs lettres.

> N. D. L. R.   n. m.   Arch. nat.

On sait que l'ordinateur justifie la ligne aux espaces justifiantes. Si l'on met une espace justifiante entre les lettres des sigles, on risque une séparation entre elles. (**N.** risque de se trouver en fin de ligne et **D. L. R.** sur l'autre ligne. Même remarque pour les lettres **n. m.**) Entre les mots abrégés **Arch.** et **nat.** il y a une espace justifiante, car une séparation de ces deux mots est permise.

9. Numéro. — Ce mot s'abrège en n° au singulier et n^{os} au pluriel, sans points abréviatifs. Voici les conditions d'abréviation:

a) S'il est immédiatement *précédé* du nom qu'il qualifie et *suivi* d'un nombre en chiffres, il s'abrège.

> L'entrée n° 6 est en bon état.   Les bulletins n°s 7 et 8 sont ici.

b) S'il ne remplit *qu'une* de ces conditions, il ne doit pas s'abréger.

> J'habite au numéro 6.   les numéros 7 et 8 du bulletin

c) S'il ne remplit *aucune* de ces conditions, il ne doit pas s'abréger.

> J'avais le numéro gagnant.   J'ai lu ce numéro du journal.

10. Et cetera. — L'abréviation **etc.** n'est jamais suivie de points de suspension; ne doit jamais se trouver seule sur une ligne à la fin d'un alinéa; ne doit jamais se répéter à la suite; doit toujours être précédée et suivie d'une virgule; n'a jamais de capitale initiale.

> Elle a parlé de littérature, de sciences, etc., et nous avons bien écouté.

SYSTÈME INTERNATIONAL D'UNITÉS

Avant l'établissement du système métrique, les différentes unités utilisées en France variaient d'une province à l'autre. En 1790, un décret de l'Assemblée constituante chargea l'Académie des sciences d'organiser un meilleur système et de déterminer une unité de mesure pour convenir à tous les temps, à tous les peuples. Entre 1792 et 1799, les ingénieurs français Méchain et Delambre déterminèrent cette unité de mesure, qui reçut le nom de *mètre*, et le système s'appela le *système métrique*. Celui-ci fut rendu obligatoire en France à partir du 1ᵉʳ janvier 1840.

En 1960, la Conférence générale des poids et mesures a adopté une version moderne du système métrique appelée le *système international d'unités (SI)*. Le Canada a adopté ce dernier en 1971.

Le système international d'unités (qui s'écrit au long sans capitales et qui s'abrège SI en capitales et sans points abréviatifs) est basé sur le système décimal, c'est-à-dire un système numérique qui procède par puissance de dix. Le système international, comme son nom l'indique, est adopté par la plupart des pays du monde (99 %), y compris les États-Unis.

Quelques préfixes SI d'usage commun

Le préfixe se place avant le symbole d'unité pour former le multiple ou le sous-multiple de celle-ci.

Préfixe	*Symbole*	*signifie*
kilo	k	1 000 fois plus grand que l'unité
hecto	h	100 fois plus grand que l'unité
déca	da	10 fois plus grand que l'unité
		unité
déci	d	10 fois plus petit que l'unité
centi	c	100 fois plus petit que l'unité
milli	m	1 000 fois plus petit que l'unité

Système décimal

Nous utilisons au Canada le système décimal quand nous parlons de monnaie. En effet, nous savons qu'il y a 10 pièces de 1 cent dans une pièce de dix cents, et qu'il y a 10 pièces de 10 cents dans un dollar. Avec le principe des préfixes énoncé ci-dessus, nous pourrions donner un nom aux différentes pièces et aux billets. Il s'agit évidemment là d'un exemple fictif.

Si l'on avait	*ce serait*		*le symbole serait :*
un kilodollar	un billet de	1 000 dollars	k$
un hectodollar	un billet de	100 dollars	h$
un décadollar	un billet de	10 dollars	da$
un dollar	un billet de	1 dollar	$
un décidollar	une pièce de	10 cents	d$
un centidollar	une pièce de	1 cent	c$
un millidollar	une pièce de	1/10 de cent	m$

Il suffit de remplacer le mot *dollar* par *mètre, gramme* ou *litre*. On passe d'un multiple ou d'un sous-multiple à un autre en multipliant ou en divisant par dix.

Règles d'écriture

1. **Symboles.** — Ce sont les abréviations du système international d'unités, ainsi que les abréviations d'unités hors SI admises.

   m (mètre)   kg (kilogramme)   min (minute)   l (litre)

2. **Noms d'unités écrits au long.** — Les noms d'unités écrits au long prennent un bas de casse initial (exception: degré Celsius). Le pluriel se forme normalement.

   quinze grammes   cent ampères   dix degrés Celsius

3. **Place du symbole.**

   a) *Décimal.* — Si l'unité appartient au système décimal, on place le symbole *après* le nombre complet, et non entre les chiffres.

   2,75 m   *et de la même façon:* 3,25 $

   b) *Non décimal.* — Si le symbole n'appartient pas au système décimal, on le place à l'intérieur des chiffres.

   3 h 20 min 40 s   (*sans virgules*)

4. **Point abréviatif.** — On ne met jamais de point abréviatif après un symbole. On met un point final si le symbole est en fin de phrase.

   Ce tissu mesure 1,75 m en tout.   Ce tissu mesure 1,75 m.

5. **Pluriel.** — Les symboles ne prennent jamais la marque du pluriel.

   17 m   100 kg   350 ml   14 °C

6. **Bas de casse.** — Tous les symboles s'écrivent en bas de casse, sauf quand le symbole tire son origine d'un nom propre.

   s (seconde)   g (gramme)   N (newton)   A (ampère)

7. **Espacement des symboles.** — On met une espace fixe (espace fine) entre le nombre et le symbole. L'espace fixe empêchera une séparation en fin de ligne entre le nombre et le symbole.

   Il y a plus de 200 km entre Québec et Montréal.
   Il était 18 h 30 quand il est arrivé.

8. **Emploi des symboles.**

   a) On ne peut employer un symbole que s'il est précédé d'un nombre écrit en chiffres.

   10 km   (*et non:* dix km)   dix kilomètres
   10 km/h (*et non:* dix km par h)   dix kilomètres par heure

   b) Si le nombre est entier, on peut écrire l'unité au long. Si le nombre n'est pas entier, il est alors préférable d'utiliser le symbole.

   20 kg   *ou*   20 kilogrammes   20,5 kg

Liste des abréviations courantes

adjectif(s)	adj.	Manitoba	Man.
adverbe(s)	adv.	maître(s)	Me(s)
appartement(s)	app.	maximal, maximum	max.
après Jésus-Christ	ap. J.-C.	mesdames	Mmes
article(s)	art.	mesdemoiselles	Mlles
avenue(s)	av.	messieurs	MM.
bas de casse	bdc	minimal, minimum	min.
bibliographie	bibliogr.	monseigneur	Mgr
biologie	biol.	monsieur	M.
boulevard(s)	boul.	nord	N.
case postale	C.P.	note de l'auteur	N.D.A.
c'est-à-dire	c.-à-d.	note de la rédaction	N.D.L.R.
chapitre(s)	chap.	note du traducteur	N.D.T.
collection(s)	coll.	Nouveau-Brunswick	N.-B.
Colombie-Britannique	C.-B.	numéro	n^o
colonne(s)	col.	numéros	n^{os}
confer	cf.	Ontario	Ont.
département(s)	dép.	ouest	O.
deuxième	2e	par ordre	p.o.
document(s)	doc.	premier, première	1er, 1re
enregistrée (compagnie)	enr.	post-scriptum (inv.)	P.-S.
environ	env.	pour cent	%, p. 100
est	E.	Québec (province de)	QC
exception(s)	exc.	référence(s)	réf.
exemple(s)	ex.	Saint- (toponyme)	St-
fascicule(s)	fasc.	Sainte- (toponyme)	Ste-
féminin	fém.	sans date	s.d.
figure(s)	fig.	Saskatchewan	Sask.
folio(s)	fol.	section(s)	sect.
habitant(s)	hab.	s'il vous plaît	S.V.P.
hors texte	h.t.	société (raison sociale)	Sté
hors-texte (nom inv.)	h.-t.	sud	S.
incorporée (compagnie)	inc.	téléphone(s)	tél.
invariable(s)	inv.	Terre-Neuve	T.-N.
italique	ital.	tome(s)	t.
limitée (compagnie)	ltée	traduction(s)	trad.
madame	Mme	voir	v. *ou* V.
mademoiselle	Mlle	volume(s)	vol.

On utilise les lettres collées dans les sigles au Québec. L'abréviation QC (pour province de Québec) est réservée à certains usages techniques. Dans une adresse, il est conseillé de ne pas abréger et écrire au long, entre parenthèses: (Québec).

Liste partielle des symboles

ampère	A	kilohertz	kHz
ampère par mètre	A/m	kilomètre	km
année	a	kilomètre par heure	km/h
calorie	cal	kilooctet	ko
candela	cd	kilopascal	kPa
cent (monnaie)	¢	kilovolt	kV
centime (monnaie)	c	kilowatt	kW
centigramme	cg	kilowattheure	kWh
centilitre	cl	litre	l
centimètre	cm	livre	lb
cheval-vapeur (fiscal)	CV	lux	lx
coulomb	C	mégahertz	MHz
curie	Ci	mégaoctet	Mo
décagramme	dag	mètre	m
décalitre	dal	milliampère	mA
décamètre	dam	milligramme	mg
décibel	dB	millilitre	ml
décigramme	dg	millimètre	mm
décilitre	dl	milliseconde	ms
décimètre	dm	millivolt	mV
degré d'angle	⁰	minute d'angle	′
degré Celsius	°C	minute de temps	min
dollar	$	newton	N
franc	F	newton par mètre	N/m
gramme	g	octet	o
gray	Gy	once	oz
hectare	ha	pascal	Pa
hectogramme	hg	pied	pi
hectolitre	hl	pouce	po
hectomètre	hm	seconde d'angle	″
hectowatt	hW	seconde de temps	s
hertz	Hz	tonne	t
heure	h	verge	vg *ou* v
joule	J	volt	V
jour	d	voltampère	VA
kelvin	K	watt	W
kiloampère	kA	wattheure	Wh
kilogramme	kg	weber	Wb

Les symboles n'ont pas de point abréviatif et sont invariables. Le symbole de *litre* peut aussi s'écrire L au Canada. Les symboles de superficie s'écrivent avec un chiffre 2 supérieur, ceux de volume avec un 3 supérieur: m^2, m^3, cm^2, cm^3, dm^3.

Date

REPRÉSENTATION EN LETTRES

Les noms de jours et de mois s'écrivent en bas de casse. Voici les règles d'emploi de l'article *le* et des virgules.

1. On met l'article *le* avant le jour (et non après), sans virgule.

   La réunion a eu lieu le dimanche 21 février 1982 à Montréal.

   et non pas:
   La réunion a eu lieu le dimanche, 21 février 1982 à Montréal.
   La réunion a eu lieu dimanche, le 21 février 1982 à Montréal.

2. On met l'article *le* après le nom du lieu, avec une virgule.

   La réunion a eu lieu à Montréal, le dimanche 21 février 1982.
   La réunion a eu lieu à Montréal, le 21 février 1982.

REPRÉSENTATION EN CHIFFRES

1. Dans toutes les langues, selon les normes internationales, une date précise doit toujours être représentée dans l'ordre suivant:

   année, mois, jour, heure, minute, seconde

2. L'année comporte quatre chiffres (ou deux s'il n'y a pas risque de confusion). Les autres éléments sont représentés par deux chiffres.

3. Après les secondes, on utilise les dixièmes, les centièmes ou les millièmes de seconde, précédés toujours de la virgule décimale.

4. Entre les éléments des années, mois et jours on peut mettre soit un *trait d'union*, soit une *espace fine*, soit ne pas mettre d'espace.

5. Les heures sont numérotées de 00 à 23. Celles de 00 à 11 désignent le matin et celles de 12 à 23 désignent l'après-midi et la soirée.

6. Par exemple, le moment précis de vingt-trois heures cinquante-neuf minutes cinquante-neuf secondes neuf dixièmes, le trente et un mars mille neuf cent quatre-vingt-deux, s'écrit ainsi en chiffres:

1982-03-31-23:59:59,9	82-03-31-23:59:59,9
1982 03 31 23:59:59,9	82 03 31 23:59:59,9
1982033123:59:59,9	82033123:59:59,9

Dans l'utilisation courante, 10-12-82 signifie le 10 décembre pour certains, alors que d'autres l'interprètent comme étant le 12 octobre. Les normes ISO 2014 et ISO 3307 nous donnent la façon internationale d'écrire les dates en chiffres, comme nous l'expliquons dans cette page. Cette façon d'écrire la date selon la norme internationale, soit 82-12-10 ou 821210 pour indiquer le 10 décembre 1982, permet des opérations mathématiques et elle est utilisée dans les ordinateurs. Toute date *ultérieure* sera de cette façon représentée par un nombre plus *grand*, et toute date *antérieure* sera représentée par un nombre plus *petit*.

Heure

Deux questions doivent d'abord se poser: **a**) *S'agit-il d'un moment précis ou d'une durée?* **b**) *Le nombre est-il entier ou complexe?*

1. Moment précis.

a) Si le nombre est entier, voici les trois façons d'écrire le moment précis de cinq heures de l'après-midi:

> L'avion de 17 heures est parti à l'heure exacte.
> L'avion de 17 h est parti à l'heure exacte.
> L'avion de 17:00 est parti à l'heure exacte.

Nous recommandons cette dernière forme qui évite une séparation.

b) Si le nombre est complexe, c'est-à-dire qu'il comporte par exemple des minutes, voici les deux façons d'écrire le moment précis de cinq heures cinq minutes de l'après-midi:

> L'avion de 17 h 05 est parti à l'heure exacte [1].
> L'avion de 17:05 est parti à l'heure exacte.

2. Durée.

a) Si le nombre est entier, et qu'il est compris entre **un** et **neuf** inclus, il s'écrit en lettres. Il s'écrit en chiffres à partir de 10. Le mot «heure(s)» ne s'abrège pas. **Pour exprimer une durée, on n'utilise jamais la forme comportant le deux-points.**

> La séance a duré trois heures en tout.
> La séance a duré 12 heures en tout

b) Si le nombre est complexe, on l'écrit toujours en chiffres et on utilise les symboles de temps.

> La séance a duré 3 h 12 min exactement.
> La séance a duré 15 h 8 min exactement.

On ne met pas de 0 devant le 8 car il s'agit d'une durée et non d'un moment précis.

3.

Quand l'heure (moment précis ou durée) est exprimée avec les mots *demi, quart, trois quarts, midi* et *minuit* en lettres, les nombres s'écrivent aussi en lettres. Le mot «heure(s)» ne s'abrège pas.

> La réunion a commencé à dix heures moins le quart et s'est terminée vers onze heures et demie. Elle a donc duré exactement une heure trois quarts. La prochaine réunion commencera à midi trente.

4. Heures décimales.

— La virgule retrouve son usage normal quand on utilise la division décimale de l'heure dans une durée:

> **10,25 h** signifie 10 heures 25 centièmes (soit 10 h 15 min);
> **0,175 h** signifie 175 millièmes d'heure.
> Pour les calculs de durée, on divise l'heure en 10 parties, c'est-à-dire que 1/10 d'heure égale 6 minutes. Par exemple, le prix d'un travail de 8 h 24 min à 9,95 $/h se calculera en multipliant 9,95 par **8,4** = 83,58 $.

---

1. L'écriture **17 h 05** pour exprimer un moment *précis* est correcte, car le fait de placer le symbole **h** au milieu indique que le nombre n'est pas décimal. Quand on veut utiliser la division *décimale* de l'heure dans une *durée,* on écrit le symbole **h** après le nombre complet (17,05 h). Selon le même principe, on écrit 17,05 m, qui est décimal.

monsieur, madame, mademoiselle

1. **Formes des abréviations.** — Les lettres supérieures dans ces titres de civilité ne sont utilisées que dans les travaux de luxe. Dans les travaux ordinaires, on peut utiliser les formes:

M.	monsieur	**Mme**	madame	**Mlle**	mademoiselle
MM.	messieurs	**Mmes**	mesdames	**Mlles**	mesdemoiselles

2. **Emploi des abréviations.** — Dans un texte courant:

a) Quand on *parle* des personnes en les citant par leur nom ou par leur fonction, sans s'adresser à elles, on doit abréger le titre de civilité. La fonction de la personne reste en bas de casse.

> Nous attendons M. et Mme Dupont d'un moment à l'autre.
> On a noté la présence de Mme Sylvie Durand, présidente.
> La séance a été ouverte par Mme la présidente.

b) Quand on *s'adresse* aux personnes, c'est-à-dire sous la forme d'une apostrophe, en mentionnant leur nom ou leur fonction, on écrit le titre de civilité au long, avec un bas de casse initial. La fonction prend aussi un bas de casse initial.

> Veuillez accepter, madame Durand, cette invitation à notre soirée.
> Quand viendrez-vous, madame Dupont?
> Je vous adresse, monsieur Dubois, mon amical bonjour.
> Je vous prie d'agréer, madame la directrice, mes sincères salutations.
> Nous faisons appel à vous, mesdames les députées.

c) Quand on *s'adresse* aux personnes, sans mentionner ni leur nom ni leur fonction, le titre de civilité s'écrit au long, avec un bas de casse initial.

> Veuillez agréer, chère madame, mes salutations distinguées.
> Je vous avertis, monsieur, que madame est sortie.

d) *Exceptions.* — Dans les *faire-part,* les titres de civilité s'écrivent au long avec une capitale initiale.

> Monsieur et Madame Jean Dupont
> ont l'honneur de vous faire part du mariage de leur fille...

e) *Noms communs.* — Quand ces titres de civilité sont employés comme de simples noms communs, ils s'écrivent au long, avec un bas de casse initial.

> C'est un très gentil monsieur.
> Ces messieurs sont servis.

Commentaires. — Ces règles, en plus d'être très simples (abréviation quand on parle de la personne; au long avec un bas de casse initial quand on s'adresse à elle), sont aussi très logiques. Nous pensons que les règles de dactylographie enjoignant de mettre une majuscule quand on s'adresse à un supérieur n'ont pas de raison d'être. En effet, à quel rang commence le droit à la majuscule? Le fait d'écrire le titre de civilité en toutes lettres quand on s'adresse à la personne est déjà une forme de politesse. Il est donc inutile d'y ajouter une capitale.

Chapitre V

PONCTUATION

L'invention de la ponctuation est attribuée au grammairien Aristophane de Byzance (IIe siècle avant Jésus-Christ). Son système de ponctuation ne comprenait que trois signes : point sur la ligne de base, point au milieu et point en haut. En fait, le point ne servait le plus souvent qu'à séparer les mots. Ce n'est qu'au XVIe siècle que notre système de ponctuation, grâce aux imprimeurs, est entré en usage.

La première fonction de la ponctuation est la clarté de la phrase. Voici un exemple d'une phrase bien ponctuée (en romain), puis la même phrase (*en italique*) avec les mêmes mots, mais dont une mauvaise ponctuation a changé le sens :

Un homme entra, sur la tête un chapeau de paille, aux pieds des souliers vernis, à la main un beau bouquet de fleurs !

Un homme entra sur la tête, un chapeau de paille aux pieds, des souliers vernis à la main : un beau bouquet de fleurs !

Nous donnons à la page 23 un tableau des espacements de la ponctuation sur un ordinateur personnel. Ces espacements s'appliquent également en dactylographie.

LES SIGNES DE PONCTUATION

Nous distinguons la ponctuation *basse* (le point, la virgule et les points de suspension) et la ponctuation *haute* (le point-virgule, le deux-points, le point d'interrogation, le point d'exclamation et les guillemets).

LES SIGNES ORTHOGRAPHIQUES

Les signes orthographiques comprennent : le trait d'union, les parenthèses et crochets, le tiret, la barre oblique, l'apostrophe, les accents et le tréma.

LES SIGNES DE PONCTUATION

Ce sous-chapitre est divisé en deux sections: les *principes*, section dans laquelle nous traitons de l'espacement typographique des signes et de leur face; les *règles*, section dans laquelle nous étudions l'emploi des signes de ponctuation.

Principes

Les signes de ponctuation se classent en deux catégories: la ponctuation basse et la ponctuation haute.

LA PONCTUATION BASSE

Nous appelons ainsi les trois signes de ponctuation qui se trouvent seuls sur la ligne de base: le point (.), la virgule (,) et les points de suspension (...).

a. **Espacement.** — La ponctuation basse est toujours collée au mot qui la précède. Les points de suspension sont toujours collés.

b. **Face.** — La ponctuation basse reste toujours dans la même face que le mot qui la précède, qu'elle appartienne au mot ou au reste de la phrase.

LA PONCTUATION HAUTE

Nous appelons ainsi les cinq signes de ponctuation qui ne reposent pas sur la ligne de base: le point-virgule (;) est formé d'une virgule surmontée d'un point; le deux-points (:) est composé de deux points l'un au-dessus de l'autre; le point d'interrogation (?) est un point surmonté d'un crochet; le point d'exclamation (!) est un point surmonté d'une barre verticale. Les guillemets (« ») ne reposent pas sur la ligne de base.

a. **Espacement.** — La ponctuation haute est séparée du mot qui la précède par une espace fixe en unités (entre 10/100 et 24/100 de cadratin). L'espace fine étant de 25/100 de cadratin, il ne faut pas mettre avant une ponctuation haute une espace fixe supérieure à l'espace fine. Cette espace fixe dépendra aussi de la valeur d'espace intermot minimale qu'on aura permise à l'ordinateur. Si celle-ci a été décidée à 20/100 de cadratin, il ne faudra pas choisir une espace fixe d'une valeur supérieure à 20/100 de cadratin, sinon, dans une composition en drapeau, l'espace intermot sera plus petite que l'espace fixe. Autrement dit, la ponctuation haute se trouvera plus près du mot suivant que du mot précédent, ce qui est inacceptable. La photocomposition ne permet plus de suivre les règles du passé, soit d'utiliser des espaces justifiantes avant et après le deux-points ou avant et après les guillemets. Le guillemet doit être plus près de la citation qu'il ouvre ou qu'il ferme. D'autre part, on ne peut prendre le risque d'une séparation en fin de ligne provoquée par l'emploi d'une espace justifiante.

b. **Face.** — La ponctuation haute appartient soit au mot qui la précède, soit au reste de la phrase. On la met donc dans la face de l'un ou de l'autre.

La centième partie du dollar est le *cent*; celle du franc est le *centime*.
Le titre du livre est: *Le Théâtre; son rôle dans la société.*

Dans le premier exemple, le point-virgule appartient au reste de la phrase et non au mot *cent*. Il reste donc en romain, comme le texte. Dans le second exemple, il appartient au titre du livre, qui doit se mettre en italique. Le point-virgule est donc lui aussi en italique.

Règles des signes de ponctuation

Point

1. **Abréviations.** — Le point s'utilise seulement dans les abréviations dont la dernière lettre n'est pas celle du mot entier.

   cap. (capitale)   pt (point)

2. **Symboles.** — Les symboles du SI s'écrivent sans point ni pluriel. Les symboles du système impérial s'écrivent sans point ni pluriel.

   13 cm   15 kg   10 min   10 po   15 lb   6 oz

3. **Nombres.** — Le point n'est jamais utilisé dans les nombres écrits en chiffres. On utilise la virgule décimale et non le point. On ne détache pas les milliers par un point mais par une espace fine.

   454,50 $ 2 423 345 $

4. **Points de conduite.** — On ne met pas de point ni de deux-points après le mot qui précède les points de conduite dans un tableau.

   Liste des abréviations courantes 44

5. **Tirets.** — Si l'on décide d'utiliser un tiret dans les énumérations, on met un point après le signe d'énumération et une espace fine avant et après le tiret.

   V. — Ponctuation   A. — Signes   1. — Principes

6. **Villes.** — Au début d'un article de journal, quand le nom de la ville est mentionné en capitales, on mettra un point suivi d'un tiret.

   SOREL. — Le gouvernement québécois...

7. **Titres et adresses.** — On ne met pas de point final dans les titres d'articles ni aux fins de lignes dans les adresses.

   Le Comité a tenu   224, avenue Dupont
   sa réunion   Saint-Lambert (Québec)
   dimanche dernier   J4R 2G9

8. **Légendes.** — On met un point final seulement si la légende est une phrase indépendante, qu'elle soit en drapeau ou centrée.

   La figure représente une vue   L'oratoire Saint-Joseph
   de l'oratoire Saint-Joseph.

9. **Guillemets et parenthèses.** — Le point se met à l'intérieur si la phrase entre guillemets est indépendante, à l'extérieur si ce n'est pas une phrase mais une expression à faire ressortir.

   Maurice Biraud a dit : « Ce n'est pas parce qu'on a un menton en galoche qu'on a forcément les dents qui se déchaussent. »

   Quand on a toutes les dents qui se déchaussent, on n'a pas forcément un menton « en galoche ».

Virgule

1. **Espacement et face.** — La virgule est collée au mot qui la précède et reste toujours dans la même face que lui.

En typo, on utilise: *l'italique,* **le gras,** le romain, ***le gras italique,*** etc.

Ces virgules (ponctuation basse) appartiennent à la phrase et devraient donc se composer en romain, mais elles restent dans la face du mot qu'elles touchent.

2. **Virgule décimale.**

a) La virgule sert à séparer la partie entière de la partie décimale.

23,05 m   45,30 $ 1 234,70 F   25,5 kg

b) On n'utilise pas la virgule pour séparer les nombres qui ne sont pas décimaux, que ceux-ci soient écrits en chiffres ou en lettres. Les nombres décimaux écrits en lettres ne prennent pas non plus de virgules ni la conjonction *et.*

2 h 20 min 30 s
deux heures vingt minutes trente secondes
deux kilomètres deux cent cinquante mètres

3. **Adresse.** — Exemple: On met une virgule après le numéro *123,* mais on ne met pas de virgule avant le mot *Ouest,* qui se place après le nom de la rue. On ne met pas de virgule après le mot *Longueuil,* mais on utilise les parenthèses pour la province. On ne met pas de virgule à la fin des lignes, que l'adresse soit en drapeau ou centrée.

Madame Jeanne Dupont
123, rue Dubois Ouest
LONGUEUIL (Québec)
J4R 2G9

4. **Apposition** (un mot ou un groupe de mots qui précise un nom).

a) *Apposition normale.* — Une apposition est toujours entre *deux* virgules. Elle peut se retrancher et la phrase restera correcte. Si l'apposition se trouve à la fin de la phrase, la deuxième virgule se confond avec la ponctuation finale.

Jeanne Dupont, ingénieure, a rencontré Paul Durand, architecte.

b) *Prénoms.* — Ils sont apposition quand ils peuvent se retrancher. Voici deux exemples:

Notre fils, Paul, est arrivé.   Notre fils Paul est arrivé.

Dans l'exemple de gauche, nous n'avons qu'un fils; il s'appelle Paul. On peut retrancher l'apposition (Paul). Dans celui de droite, nous avons plusieurs fils, mais c'est celui qui s'appelle Paul qui est arrivé. On ne peut pas retrancher le prénom.

5. **Apostrophe** (l'être ou la chose personnifiée à qui l'on s'adresse). L'apostrophe est toujours précédée d'une virgule.

Nous devons donner pour que l'école subsiste, mes amis.
Pour que l'école subsiste, nous devons donner, mes amis.
Pour que l'école dure, amis, donnez!

6. Sujet. — On ne sépare jamais le sujet de son verbe par une virgule.

> Celui qui a les dents longues ne doit pas avoir la vue courte.
>
> *et non pas:*
> Celui qui a les dents longues, ne doit pas avoir la vue courte.

7. Complément. — On ne sépare jamais le complément d'objet direct de son verbe par une virgule.

> Tu entends Marie?   Tu entends, Marie?
>
> Le mot *Marie*, dans l'exemple de gauche, est complément d'objet direct. Si l'on met une virgule, il devient une apostrophe (figure de rhétorique).

8. Subordonnée circonstancielle. — On met une virgule après une subordonnée circonstancielle quand celle-ci est placée avant la proposition principale.

> Quand on est parti de zéro pour arriver à rien, on n'a de merci à dire à personne.
>
> Si le temps le permet, nous irons à Québec dimanche.

9. Inversion. — On ne met pas de virgule dans une phrase inversée.

> À la pêche aux moules je ne veux plus aller.

10. Incise (petite phrase formant un sens à part, intercalée au milieu d'une autre). L'incise se met entre deux virgules.

> «Jeannu, dit Paul, est arrivée.»

11. Et. — On met une virgule pour séparer deux membres de phrase qui comprennent eux-mêmes déjà une fois le mot *et*.

> Enfin cessèrent la pluie et le vent, et le soleil revint.

12. Qui. — On met une proposition relative entre deux virgules, ou bien on ne met aucune virgule, selon le sens que l'on donne à la phrase.

> Les pommes, qui étaient mûres, ont été cueillies.
> Les pommes qui étaient mûres ont été cueillies.
>
> Dans le premier exemple, toutes les pommes ont été cueillies. Dans le second exemple, seules les pommes qui étaient mûres ont été cueillies.

13. Que. — On met deux virgules ou on n'en met aucune dans ce cas:

> On a noté que, en disant cela, l'oratrice a secoué la tête.
> On a noté qu'en disant cela l'oratrice a secoué la tête.
>
> *et non pas:*
> On a noté qu'en disant cela, l'oratrice a secoué la tête.

14. C'est. — On met une virgule avant *c'est* dans les exemples suivants:

> La jeunesse, c'est de refuser la place qu'on vous offre dans le métro.
> La vie, c'est comme la musique: on devrait pouvoir l'écouter deux fois.

15. Mais, car. — Quand ce qui précède est d'une certaine longueur, on met une virgule devant ces mots, mais on n'en met pas si ce qui précède est très court.

«Si la sauce tomate était verte et les cornichons rouges, cela ne changerait rien à la sauce tomate, mais on aurait du mal à trouver les piments dans le bocal à cornichons.»

C'est beau mais ce n'est pas de moi, car c'est de Maurice Biraud.

Dans le second paragraphe, ce qui précède le mot *mais* est très court. Ce qui précède le mot *car* est assez long pour justifier l'emploi d'une virgule.

16. Ni, ou. — On ne met pas de virgule avec deux *ni* rapprochés, mais on met des virgules quand il y a trois *ni* ou plus. La même règle s'applique pour **ou**.

Ce repas n'était ni bon ni mauvais.
Il n'y avait ni pain, ni vin, ni saucisse, ni boudin.

17. Parenthèses. — On ne met jamais la virgule avant la parenthèse ouvrante. Au besoin, on la met après la parenthèse fermante.

Quand nous sommes arrivés (très tard), il faisait nuit.

18. Points d'interrogation et d'exclamation. — On doit mettre une virgule après ces signes quand il s'agit d'une énumération, afin de détacher les différentes parties.

Je vous conseille de lire *Aimez-vous Brahms?*, *Faut l'faire!*, etc.

19. Raisons sociales. — On ne met pas de virgule avant les termes *enr.*, *inc.*, *ltée* qui s'écrivent en bas de casse.

Plomberie Paul enr.   Coiffures Lafrise inc.   Menuiserie Dubois ltée

20. Bibliographies. — Le prénom peut être précédé d'une virgule ou mis entre parenthèses.

TÉRIEUR, Alain. *Restons bien au chaud*, éditions Dupont, 1989.
TÉRIEUR (Alex). *Comment enlever ses deux chaussures en même temps sans s'asseoir*, éditions Durand, 1989.

21. Voici des phrases qui changent de sens selon qu'on supprime une virgule, qu'on en ajoute une ou qu'on en déplace une.

Comme je vous l'ai dit cet après-midi, je verrai votre père.
Comme je vous l'ai dit, cet après-midi je verrai votre père.

Il est interdit de jouer au ballon avec les pieds, sur la plage.
Il est interdit de jouer au ballon, avec les pieds sur la plage.

On ne badine pas avec l'amour, d'Alfred de Musset.
On ne badine pas avec l'amour d'Alfred, de Musset.

Si vous faites cela encore une fois, vous serez punis.
Si vous faites cela, encore une fois vous serez punis.

Un record: en une heure seulement, neuf apéritifs.
Un record: en une heure, seulement neuf apéritifs.

Points de suspension

1. **Face.** — Les points de suspension sont collés entre eux, sont collés au mot qui les précède, et restent toujours dans la même face que ce mot. Ils se confondent avec le point final et le point abréviatif. ✓

> Il ne faut pas de point abréviatif au symbole **h**...
> Il faut un point abréviatif à l'abréviation *ibid*...

On n'aura donc **jamais** quatre points ni deux points de suite. Les trois points du premier exemple sont des points de suspension. Les trois points du second exemple ont fait disparaître le point abréviatif.

2. **Pause.** — Les points de suspension s'utilisent quand l'auteur veut indiquer une pause un peu plus longue que la ponctuation existante.

a) Avec la virgule. — On doit mettre la virgule après les points de suspension, le tout collé et dans la même face que le mot précédent.

> Tu t'amusais, fillette..., tu t'amusais même beaucoup.

Le mot *fillette* est une apostrophe, donc entre deux virgules. Cette phrase serait aussi correcte sans les points de suspension. Mais l'auteur veut indiquer que la pause à la seconde virgule est plus longue. Le mot *tu* est en bas de casse parce qu'il suit une virgule.

b) Avec le point-virgule. — On doit mettre le point-virgule après les points de suspension, détaché par une espace fixe.

> Il y a des pommes, des poires, des abricots...; nous allons en vendre.

La phrase serait aussi correcte sans les points de suspension, mais l'auteur désire augmenter la pause du point-virgule ou laisser la liste incomplète. Le mot *nous* est en bas de casse parce qu'il suit un point-virgule.

c) Avec le point final. — Si l'auteur avait voulu une pause encore plus grande que celle avec la virgule et celle avec le point-virgule accompagnés des points de suspension, il aurait mis un point final et des points de suspension. Mais le point final ne paraîtrait pas, car il se confond avec les points de suspension. Dans ce cas, il aurait fallu une capitale au mot qui suit les points de suspension.

> Tu t'amusais, fillette... Tu t'amusais même beaucoup.
> Il y a des pommes, des poires, des abricots... Nous allons en vendre.

d) Avec le point d'interrogation ou d'exclamation. — En général, on met les points de suspension après et non avant ces deux signes.

> Qu'est-ce que vous dites?... La belle affaire!...

e) Points de suspension employés seuls, pour marquer un effet.

> J'ai fébrilement ouvert le paquet et j'ai trouvé... un mot.

Les points de suspension n'ont aucune fonction dans ce cas, ils veulent marquer la surprise. Il n'y a donc aucune raison de mettre une capitale après eux.

3. **Interruption.** — Quand on cite un texte, on marque les interruptions dans la citation par des points de suspension entre parenthèses.

Point-virgule

1. **Capitale.** — Dans un texte courant, on ne met pas de capitale après un point-virgule (excepté aux noms propres).

2. **Énumérations.** — Dans les énumérations horizontale et verticale, on met un point-virgule à la fin de chaque partie.

> Il faudra considérer: *a)* le lieu; *b)* la date; *c)* l'heure.

Deux-points

1. **Bas de casse.** — Après un deux-points, dans un texte courant, on met un bas de casse au premier mot si la partie introduite par le deux-points n'est pas une citation.

> Ce livre concerne notamment: la ponctuation, les coupures, etc.

2. **Capitale.** — On met une capitale après un deux-points si la partie introduite est une citation. Il existe trois moyens de présenter une citation: les guillemets, l'italique, les caractères plus petits.

> Une personne a dit: «Quand on ne travaillera plus les lendemains des jours de repos, la fatigue sera vaincue.»
>
> Retenons ce proverbe: *Le tube est au dentifrice ce que la pédale est à la bicyclette: il faut appuyer sur le premier pour faire avancer le second.*
>
> Voici un passage de son livre:
>
> Il est tout de même curieux de constater que c'est par le travail en ville qu'on a le salaire, et que c'est par le repos tranquille à la campagne qu'on a le bon air.

Point d'interrogation et point d'exclamation

1. **Emploi.** — On met un seul point d'interrogation ou un seul point d'exclamation quand l'interrogation ou l'exclamation est directe. La forme à gauche est *directe,* celle en regard est *indirecte.*

> Quel temps fait-il?   Je demande quel temps il fait.
> Quel beau temps!   Je dis qu'il fait beau.

2. **Plusieurs ponctuations de suite.** — Il est rare qu'on doive garder deux ponctuations de suite. Dans les exemples suivants, la phrase en **romain** est correcte, celle en ***italique*** obéit aux règles de la ponctuation mais celles-ci ne s'appliquent pas ici, en vertu du fait qu'il faut rarement deux ponctuations de suite. Il faut, dans ces cas, choisir la ponctuation la plus forte et éliminer l'autre.

> «Quand viendrez-vous? demanda-t-elle, je vous attends.»
> *«Quand viendrez-vous?, demanda-t-elle, je vous attends.»*
> Qui a dit: «La majuscule est un coup de chapeau calligraphique»?
> *Qui a dit: «La majuscule est un coup de chapeau calligraphique!»?*

3. Capitales. — On doit mettre une capitale au mot qui suit un point d'interrogation ou un point d'exclamation seulement si ces derniers terminent la phrase.

> Viendrez-vous au bal? Je me le demande.
> Vous avez dit: « Je viendrai au bal!» et vous êtes venu.

4. Règles particulières du point d'exclamation. — Voici des règles qui s'appliquent au point d'exclamation quand il accompagne une interjection. (L'interjection est un mot qui exprime d'une manière concise un sentiment violent, une émotion, un ordre, etc.)

a) Répétition du point. — Le point d'exclamation doit se mettre après l'interjection et se répéter à la fin.

> Oh! la belle fille!   Hé! Loïse!   Ah! Bélard!

b) Répétition de l'interjection. — Quand l'interjection est répétée, le point d'exclamation se met après la dernière et on met une virgule entre les répétitions.

> Ah, ah! vous y êtes arrivé!
> Hélas, hélas! vous n'y arriverez pas!

c) Choix de l'interjection. — En général, les interjections qui commencent par la lettre *h* servent à interpeller, celles qui finissent par la lettre *h* indiquent l'admiration.

> Ho! l'ami!   Oh! la belle église!
> Hé! Pinard!   Eh! que c'est beau!

Guillemets

1. Mot ou groupe de mots à faire ressortir.

a) Limites. — On ne doit mettre entre guillemets que le mot ou le groupe de mots que l'on veut faire ressortir.

> On l'appelle « la terreur du village».
> On l'appelle « la terreur» dans le village.

b) Opposition. — On emploie les guillemets quand on veut mettre une partie en opposition avec l'italique dans une même phrase.

> Le mot latin *idem* signifie «le même».
> L'expression «Quelle heure est-il?» se traduit par *What time is it?*

2. Apostrophe. — Si une apostrophe précède un guillemet ouvrant, on ne met pas d'espace entre l'apostrophe et le guillemet car il n'y a jamais d'espace avant ni après une apostrophe.

> On l'appelait l'«artiste».

3. Tableaux. — Dans les tableaux, on se sert du guillemet fermant pour indiquer la nullité. Dans une liste de prix, le guillemet fermant signifie que le prix n'est pas disponible. Si l'on veut indiquer que tel article a le même prix que l'article précédent, on se sert du tiret.

4. Ponctuation avec le guillemet fermant. — Si la partie entre les guillemets n'est pas une phrase indépendante (c'est-à-dire qu'elle commence avec un bas de casse), on met la ponctuation finale à *l'extérieur* du guillemet fermant. Si la partie est une phrase indépendante (c'est-à-dire qu'elle commence avec une capitale), on met la ponctuation finale à *l'intérieur* du guillemet fermant.

> Vous me dites qu'il est dommage que «les roses aient des épines».
> Je vous réponds: «Heureusement, les épines ont des roses.»

5. Dialogue. — On commence un dialogue par un guillemet ouvrant, et à chaque changement d'interlocuteur on va à la ligne et on met un tiret. On termine le dialogue par un guillemet fermant après la ponctuation finale.

```
        ...............................................
   «    ...............................................
        ...............................................
        ...............................................
   —    ...............................................
        ...............................................
        ...............................................
   —    ...............................................
        ...............................................
        ...............................  .»
```

6. Citation. — On met un guillemet ouvrant au début d'une citation dans le texte ou en alinéa. Puis on met un guillemet ouvrant à *chaque alinéa*, jusqu'à ce que la citation soit finie. On mettra alors une ponctuation finale suivie d'un guillemet fermant. S'il y a une citation *incluse*, on la commence par un guillemet ouvrant et on met un guillemet ouvrant à *chaque ligne* de la citation incluse. Si le texte se termine par une citation incluse, alors les deux guillemets fermants se confondent pour n'en faire qu'un seul.

```
        ...............................................
   «    ...............................................
        ...............................................
        ...............................................
   «    ....................   «   .....................
   «    ...............................................
   «    ...............................................
        ...............................................
   «    ...............................................
   «    ...............................  .»
```

7. Incise. — Si l'incise est courte, elle est isolée par deux virgules sans guillemets. Si elle est longue, elle est isolée par deux virgules et on ferme la citation avant elle et on l'ouvre à nouveau après.

> «Il va pleuvoir, dit l'éléphant, j'ai reçu une goutte sur le dos.»
> «Il va pleuvoir», dit l'éléphant en italien et en colère parce qu'il parlait plusieurs langues et qu'il avait la peau douce, «j'ai reçu une goutte sur le dos.»

LES SIGNES ORTHOGRAPHIQUES

Trait d'union

1. **Espacement du trait d'union.** — Le trait d'union est généralement collé, excepté quand il unit des toponymes qui comprennent déjà des traits d'union ou qui s'écrivent en plusieurs mots. On peut aussi employer le tiret sur demi-cadratin, sans espace.

> Dimanche aura lieu la partie Saint-Louis - Los Angeles.
> Dimanche aura lieu la partie Saint-Louis–Los Angeles.

2. **Fonctions ou métiers.**

   a) *L'un ne modifie pas l'autre.* — Quand les deux éléments sont d'égale valeur, donc quand l'un ne modifie pas l'autre, on met un trait d'union. Le pluriel se met aux deux éléments.

des bouchers-charcutiers	des ingénieurs-conseils
des boulangers-pâtissiers	des plombiers-zingueurs
des experts-comptables	des présidents-directeurs généraux
des horlogers-bijoutiers	

   b) *L'un modifie l'autre.* — Quand l'un des deux termes qualifie l'autre, on ne met pas de trait d'union. Le pluriel se met aux deux.

des apprentis serruriers	des garçons bouchers
des chefs correcteurs	des gardes forestiers
des directeurs adjoints	des maîtres imprimeurs
des élèves maîtres	des médecins assistants

3. **Apposition.** — On appelle ainsi l'union de deux noms dont le second qualifie le premier. On ne met pas de trait d'union. Le pluriel se forme selon la logique. Souvent, le mot en apposition est une phrase sous-entendue qu'il faut rétablir pour savoir si l'on doit mettre le mot au pluriel. Par exemple:

> des personnes témoins (*des personnes qui sont des témoins*)
> des tartes maison (*des tartes qui sont faites par la maison*)

Voici une liste de mots qui sont en apposition. La colonne de gauche donne ceux qui s'accordent, celle de droite ceux qui ne varient pas.

chic	des robes chics	éclair	des guerres éclair
clé	des mots clés	fantaisie	des lettres fantaisie
mère	des maisons mères	foire	des prix foire
ministre	des bureaux ministres	maison	des tartes maison
modèle	des maisons modèles	sport	des vestes sport
pilote	des projets pilotes	vedette	des prix vedette
record	des temps records		
sœur	des âmes sœurs		
standard	des pièces standards		
surprise	des cadeaux surprises		
témoin	des lampes témoins		
type	des exemples types		

4. Nombres. — Le trait d'union remplace souvent le mot *et* dans les nombres. On écrit *cent* (sans *s* et sans trait d'union) s'il est suivi d'un adjectif numéral. On écrit *cents* (avec un *s* et sans trait d'union) s'il est précédé d'un nombre qui le multiplie et suivi d'un nom. On écrit *quatre-vingt-* (sans *s* et avec traits d'union) s'il est suivi d'un adjectif numéral (excepté *mille*). On écrit *quatre-vingts* quand il est suivi d'un nom. (*Million* et *milliard* sont des noms.)

trente et un dollars
cent trente et un dollars
deux cent deux dollars
quatre-vingt-dix-neuf dollars
quatre-vingt mille dollars

trente-deux dollars
cent trente-deux dollars
deux cents dollars
quatre-vingts dollars
quatre-vingts millions de dollars

5. Prénoms. — On met un trait d'union si c'est un prénom composé. S'il s'agit de deux prénoms, on ne met pas de trait d'union.

Jean-Pierre Ferland   Marie Évangeline Arsenault

6. Surnoms. — On ne met pas de traits d'union dans les surnoms. L'article se met en bas de casse et le qualificatif prend la capitale.

Fanfan la Tulipe   Pélagie la Charrette

7. Capitales avec les traits d'union.

a) On met une capitale aux deux éléments quand ceux-ci suivent une règle d'emploi de la capitale.

les Anglo-Saxons   Les Sud-Américains

Ce sont des noms de peuples et ils doivent prendre les capitales.

b) On met un bas de casse au second élément quand celui-ci ne suit pas une règle d'emploi de la capitale.

Présidente-directrice générale: Jeanne Dupont
Secrétaire-trésorière: Jeanne Durand
Experte-comptable: Monique Dubois

Les premiers éléments prennent la capitale car ils sont placés au début de chaque partie de l'énumération. Les seconds n'ont pas de raison d'avoir une capitale.

8. Sociétés commerciales ou autres.

a) Enseigne exacte. — Quand on cite l'enseigne entièrement, le spécifique se met en italique et ne prend pas de traits d'union.

le restaurant *Aux Bons Amis*

b) Dénomination. — Quand la société commerciale est citée sous forme de dénomination, on met les traits d'union dans le spécifique et des capitales à tous les mots, excepté aux prépositions, aux articles et aux pronoms.

le restaurant des Bons-Amis

c) Importance du trait d'union. — Dans les exemples suivants, la phrase change de sens selon que l'on met les traits d'union ou pas.

J'aime Louis le Grand (*lui-même*).   Il a parlé à Paul Sauvé (*lui-même*).
J'aime Louis-le-Grand (*le lycée*).   Il a parlé à Paul-Sauvé (*le centre*).

9. Traits d'union avec les verbes à l'impératif.

a) L'impératif est joint par un trait d'union au pronom personnel (ou à *y*, *en*) qui le suit, même si ce pronom précède un infinitif.

Parle-moi.	Chante-moi un air.	Parlez-leur en français.
Allez-y.	Laissez-le partir.	Laissez-vous faire.

b) Toutefois, on omet le trait d'union si l'impératif est intransitif.

Allez le chercher.	Venez le voir.	Veuillez lui dire cela.

c) Si deux pronoms suivent l'impératif, on met deux traits d'union.

Allez-vous-en.	Parlez-lui-en.	Donnez-nous-en deux.
Donnez-le-moi.	Faites-le-lui faire.	Mettez-vous-y.

d) Cependant, si le second pronom se rattache à l'infinitif qui le suit, on le détache du premier en supprimant le trait d'union.

Allez-vous en prendre?	Laissez-moi vous dire merci.

Parenthèses et crochets

1. Face. — La parenthèse fermante doit rester dans la même face que la parenthèse ouvrante.

> Antonine Maillet (avec son livre *Pélagie la Charrette*) a remporté le prix Goncourt en 1979.

2. Emploi. — On emploie les crochets quand on veut isoler une partie qui est déjà à l'intérieur de parenthèses.

> L'auteur étudié (Lamartine [1790-1869]) a plu à tous.

3. Ponctuation. — En général, on ne trouve pas de virgule, de point-virgule ni de deux-points devant une parenthèse ouvrante. On peut avoir une ponctuation finale avant elle. On peut avoir deux ponctuations si elles sont séparées par la parenthèse fermante.

> Si vous aimez la danse (et qui ne l'aime pas?), vous viendrez au bal.

4. Valeur. — Pour isoler un membre de phrase, on a le choix entre trois possibilités, citées ici dans cet ordre croissant de force: les virgules, les parenthèses, les tirets.

Tiret(s)

1. Espacement. — Quand ils servent à isoler un membre de phrase, les tirets prennent une espace justifiante avant et après eux.

2. Ponctuation. — Les tirets se ponctuent de la même façon que les parenthèses. La seule différence, c'est que le second tiret disparaît s'il se trouve à la fin de la phrase.

Barre oblique

1. Fractions. — La barre oblique (/) est le symbole de la division dans les expressions fractionnaires. Elle signifie donc «divisé par» ou simplement «par».

60 km/h   *signifie soixante kilomètres par heure*
15 $/kg   *signifie quinze dollars par kilogramme*

2. Fractions de temps décimal. — Après les secondes, on utilise les dixièmes ou les centièmes de seconde. On ne met pas de lettres supérieures, bien qu'on prononce les *ièmes*.

Elle a terminé à 12/100 de seconde de la gagnante.

On prononce:
Elle a terminé à douze centièmes de seconde de la gagnante.

Apostrophe

On ne doit pas utiliser les apostrophes de la fonte pour exprimer les minutes ou les secondes de temps, ni les minutes ou les secondes d'angle. Pour désigner le temps, on se sert des symboles **min** ou **s** et on se sert des signes *prime* et *seconde* pour les minutes et les secondes d'angle.

Accents

1. Accent grave et accent aigu.

a) En général (avec des exceptions), on trouve un accent grave quand la syllabe qui suit est muette, et un accent aigu quand la syllabe qui suit n'est pas muette.

remède   irrémédiable   problème   problématique

b) Les verbes comme **préférer** (accent aigu sur l'avant-dernière syllabe) changent leur accent aigu en accent grave devant une syllabe muette, mais conservent leur accent aigu au futur et au conditionnel. Les verbes comme **mener** (sans accent à l'infinitif) gardent toujours l'accent grave (excepté quand le *e* est muet).

je préfère   je mène
je préférerai   je mènerai
je préférerais   je mènerais

2. Accent circonflexe. — L'accent circonflexe remplace souvent un ancien *s* que l'on retrouve dans des mots de la même famille en français ou dans une autre langue.

bête *(bestial)*   château *(castle)*   fête *(festivités)*   maître *(maestro)*

Tréma

Le tréma est un signe diacritique qui se place sur les lettres *e, i, u* pour indiquer que la voyelle qui précède doit être prononcée séparément.

ambiguë   haïr   naïf   Emmaüs

Chapitre VI

CAPITALES

Dans les *Propos liminaires* du livre **De l'emploi des majuscules** (Fichier français de Berne), les auteurs écrivent notamment :

(...) « Il faut reconnaître, hélas, que l'emploi inconsidéré de la majuscule compte parmi les manifestations de la grandiloquence qui boursoufle le style actuel. (...) A force de galvauder la majuscule, on finit par lui enlever toute valeur grammaticale pour en faire un signe purement expressif dont chacun use au gré de sa fantaisie. (...) C'est donc dès la première rencontre d'un mot qu'il faut réfléchir et décider, car les recherches ultérieures sont aléatoires et créent souvent des disparates qu'il faut éviter.

(...) « L'abus des majuscules — dénommé par d'aucuns « majusculite » — trahit le goût de l'hyperbole prétentieuse, un certain snobisme de l'effet. Psychologiquement, on peut y voir une marque d'obséquiosité ; le commerçant croit flatter le client en le décorant d'une capitale, et le subalterne s'humilie de la même manière devant son supérieur.

(...) « Battre en retraite devant la tendance inflationniste pour donner aux mots une importance qu'ils n'ont pas, les monter en épingle en les affublant avec emphase de lettres capitales imprévues, c'est ignorer que la majuscule n'a d'effet que si on en use discrètement ; l'employer sans distinction revient à souligner tous les mots, c'est-à-dire à n'en souligner aucun.

(...) « Comme dans une sorte de mouvement pendulaire, la profusion des majuscules entraîne leur suppression à l'initiale des mots qui, à cause de leur place dans le discours ou de leur nature particulière, doivent être signalés par une lettre capitale. Cette manie que l'on appelle « minusculite » ne date pas d'hier.

(...) « Certains ouvrages scolaires, où l'on pouvait s'attendre à trouver une stricte observance des règles, ont sacrifié à la mode et offert aux jeunes lecteurs des extraits de françois rené de chateaubriand, des dessins de victor hugo et une carte de la france. Nos enfants auront beau jeu, preuves à l'appui, de soutenir que les majuscules ne sont pas obligatoires ! »

Terminologie des capitales

Capitale

Ce mot est employé en imprimerie pour désigner la *majuscule*. Son abréviation est **cap.** avec un point abréviatif. Elle est invariable.

Bas de casse

Le bas de casse désigne la *minuscule*. Abréviation: **bdc** (invariable). On utilise **c/b** quand on mélange les capitales et les bas de casse.

Nom propre

Le nom propre est le mot qui *distingue* les choses ou les êtres de leur espèce. Les noms suivants:

Dupont   les Suisses   France   Montréal   le Saint-Laurent

sont des noms propres qui distinguent respectivement: un nom de personne, une collectivité, une entité nationale, une ville, une réalité géographique. Les noms propres ont toujours une capitale initiale.

Dénomination

La dénomination est un groupe de mots dont l'*ensemble* prend le statut de *nom propre*. Elle contient toujours au moins une capitale.

la Commission des écoles catholiques de Montréal

est une dénomination, car l'ensemble de ces mots donne au tout un statut de nom propre.

Générique

Le générique est le *nom commun* qui se trouve généralement au début d'une dénomination. Dans les dénominations suivantes:

le mont Tremblant   le ministère de l'Éducation   la mer Morte

les noms communs *mont, ministère* et *mer* sont les génériques.

Spécifique

Le spécifique est le mot qui *spécifie* la dénomination. Il peut être un nom propre, un nom commun ou un adjectif. Dans ces exemples:

le mont Tremblant   le ministère de l'Éducation   la mer Morte

les trois mots *Tremblant, Éducation* et *Morte* sont les spécifiques.

Un générique peut devenir spécifique

Dans la dénomination

la ville de Mont-Tremblant

le mot *mont* est devenu un composant du spécifique, alors que le nom commun *ville* est le nouveau générique.

Généralités sur les capitales

1. **Règles.** — Il n'y a pas de règles absolues pour l'emploi des capitales. Cet emploi dépend des circonstances.

2. **Bas de casse.** — En cas d'hésitation, il vaut mieux choisir le bas de casse plutôt que la capitale.

3. **Accents.** — Excepté le point sur le *I* et le *J* capitales, on doit mettre tous les accents et les signes diacritiques sur les capitales.

4. **Ponctuation finale.** — Dans un texte courant, on met une capitale après toute ponctuation qui termine la phrase.

5. **Les noms propres.** — Les noms propres s'écrivent toujours avec une capitale initiale.

6. **Enseigne.** — Une enseigne ou un panneau de signalisation commence toujours par une capitale.

7. **Un seul mot.** — Un seul mot avec une capitale initiale suffira *généralement* dans une dénomination pour donner à celle-ci le statut de nom propre.

8. **Dénomination.** — Une dénomination perd généralement son caractère de *nom propre* si elle est employée au pluriel ou sans l'article défini devant elle. L'article indéfini et les adjectifs démonstratif ou possessif enlèvent à la dénomination son statut de nom propre... et sa capitale.

   J'ai téléphoné au Centre sportif de Saint-Jules. Tous les centres sportifs, qu'ils soient de Saint-Jules ou d'ailleurs, s'occupent de sport. Le Centre sportif a organisé un tournoi de basket. Ce centre sportif est très actif. C'est **un** centre sportif à féliciter.

9. **Raison sociale.** — Les raisons sociales, les noms de famille et les prénoms doivent s'écrire exactement comme ils ont été enregistrés. Parfois, ils ont été inscrits avec une faute d'orthographe qu'on ne doit pas corriger tant que le libellé n'a pas été rectifié officiellement.

10. **Commentaires.** — Nous avons dit, en page 18, que le rédacteur a le droit d'établir ses propres normes d'écriture. Nous disons, dans la page *Principes des capitales*, que la raison sociale élimine toutes les règles. Entendons-nous bien: c'est là une triste constatation, dans l'état actuel du métier. Heureusement, certains gouvernements vérifient le libellé d'une raison sociale avant de l'enregistrer. D'autre part, certains imprimeurs n'acceptent pas que le client, sous prétexte qu'il paie la facture, leur impose une distribution fantaisiste des capitales dans une dénomination. Nous approuvons cette attitude. L'imprimerie est un *art* qui devrait rester la propriété des imprimeurs.

Principes des capitales

a. **Bas de casse au générique s'il est suivi d'un nom propre, capitale s'il est suivi d'un nom commun[1].**

le musée Marsil   l'Académie des sciences

Le générique *musée* est suivi d'un nom propre, tandis que le générique *Académie* est suivi d'un nom commun.

b. **Bas de casse au générique s'il est suivi d'un spécifique.**

Ce spécifique peut être un nom commun (ou un adjectif) faisant office de nom propre. Dans les dénominations

le ministère des Finances   le lac Vert

les génériques *ministère* et *lac* sont suivis respectivement d'un nom commun et d'un adjectif qui font office de noms propres.

c. **Capitale à l'adjectif s'il est placé avant, bas de casse s'il est après.**

la Belle Époque   les Temps modernes

L'adjectif *Belle* précède le spécifique, l'adjectif *modernes* le suit.

d. **La raison sociale élimine toutes les règles.**

S'il s'agit de la raison sociale exacte, il faut écrire la dénomination comme elle a été enregistrée officiellement. Ainsi les dénominations

l'Université de Montréal   la Banque Royale du Canada

contredisent les principes *a* et *c* mais ce sont les raisons sociales.

e. **Dénomination elliptique (dénomination citée en partie).**

1. La dénomination elliptique garde la capitale seulement si elle est précédée du même article défini.

La Société des gens de lettres a étudié la question. Puis la Société a pris une décision. Cette société est très active.

2. Quand le contexte ne laisse aucun doute sur l'identité de la dénomination elliptique, celle-ci prend la capitale.

l'oratoire Saint-Joseph de Montréal   (l'Oratoire)
le gouvernement du Québec   (le Gouvernement)

f. **Bas de casse partout si ce n'est pas une dénomination.**

la salle d'attente
le conseil d'administration

---

1. Quand le nom propre est un nom de lieu, il se peut qu'il ne fasse pas vraiment partie de la dénomination. Dans la phrase *Nous sommes allés aux Jeux olympiques de Montréal,* le mot «Montréal» est un nom propre, et *jeux* devrait s'écrire en bas de casse, selon le principe *a.* Mais *Montréal* ne fait pas partie de la dénomination, il indique seulement où avaient lieu les Jeux olympiques.

TOPONYMIE

Définitions

1. **Toponyme.** — Il s'agit du terme employé pour désigner les noms de lieux ou noms géographiques. Il y a deux classes principales: les toponymes *administratifs* et les toponymes *naturels*.

2. **Toponyme administratif.** — On entend par toponyme administratif un nom de lieu désignant un espace dont les limites ont été imaginées ou choisies par l'homme.

    la rue Crémazie

    est un toponyme administratif car les limites de la rue ont été fixées par l'homme et non par la nature. Un toponyme administratif sert à l'administration municipale ou à l'administration des Postes.

3. **Toponyme naturel.** — Un toponyme naturel est un nom de lieu qui désigne un espace façonné par la nature.

    le lac Noir

    est un toponyme naturel car le lac n'a pas été délimité par l'homme.

4. **Générique.** — Le générique est le nom commun qui sert à désigner le type d'entité géographique.

    rue, ville, gare, comté   lac, mer, mont, rivière

    sont des génériques. Ceux de gauche sont appelés des génériques *administratifs*, ceux de droite sont des génériques dits *naturels*.

5. **Spécifique.** — Le spécifique est l'élément qui sert à spécifier la dénomination. Il doit toujours s'écrire avec une capitale initiale.

    la gare Centrale   le lac Vert
    la rue Papineau   la rivière aux Outardes

    Les mots *Centrale, Papineau, Vert* et *Outardes* sont les spécifiques.

Liste de génériques de toponymes **administratifs**

aéroport	chemin	div. de recens.	localité	place	station
autoroute	commune	faubourg	mairie	promenade	ville
avenue	comté	gare	municipalité	province	
boulevard	côte	hameau	parc	rond-point	
bur. de poste	cours	hôtel de ville	paroisse	rue	
canton	district	impasse	passage	square	

Liste de génériques de toponymes **naturels**

aiguille	cime	étang	mer	pointe	ruisseau
anse	col	fleuve	mont	prairie	val
arête	coulée	glacier	montagne	presqu'île	vallée
baie	crête	golfe	océan	rapide	vallon
bassin	crique	île	péninsule	rive	
cap	dent	lac	pic	rivière	
chute	détroit	massif	plaine	rocher	

Règles d'écriture des toponymes

Rappelons que tous les mots qui se trouvent au *début* d'une phrase ou d'une enseigne prennent la capitale initiale. Nous considérons donc le cas des majuscules seulement quand le toponyme se trouve à l'*intérieur* d'une phrase.

1. Abréviations.

a) Générique. — On ne doit pas abréger le générique d'un toponyme naturel dans une phrase. Il est permis de l'abréger en cartographie. On écrit au long le générique d'un toponyme administratif dans une phrase. On peut l'abréger dans une adresse.

J'aime la rivière des Prairies.	Riv. des Prairies (*cartographie*)
J'habite au 224, avenue Dupont.	224, av. Dupont (*adresse*)

b) Spécifique. — En général, il est recommandé de ne pas abréger les spécifiques (administratifs ou naturels). Pourtant, dans les cas de manque de place *évident,* on permet l'abréviation des mots suivants dans les spécifiques:

Écriture recommandée	Abréviations permises
Saint-	St-
Sainte-	Ste-
Notre-Dame-	N.-D.-
Nord	N.
Sud	S.
Est	E.
Ouest	O.

On peut abréger les composés des points cardinaux. Par exemple:

Écriture recommandée	Abréviations permises
Nord-Est	N.-E.
Sud-Ouest	S.-O.

2. Capitales.

a) Génériques. — Les génériques de tous les toponymes sont en bas de casse. Quand un adjectif précède le générique, cet adjectif fait partie du spécifique (il le qualifie). Il prend donc la capitale. Dans les exemples à droite, seul le mot *lac* est le générique. Les mots *Petit* et *Clair* sont les composants du spécifique.

la rue Papineau	le lac Clair
la baie James	le Petit lac Clair

b) Spécifiques. — Les composants des spécifiques de tous les toponymes prennent la capitale, excepté les articles, les prépositions et les pronoms quand ils sont à l'intérieur du spécifique. L'article défini (le, la, les) prend la capitale seulement quand il fait partie d'un nom propre.

la mairie de Saint-Denis-sur-Mer	la ville de Sainte-Anne-des-Monts
le lac de la Cigarette	la rivière au Chien Rouge
la rivière de l'Anse à Beaufils	le lac Le Gardeur
la rue du Chat-qui-Pêche	la rivière Qui-Mène-du-Train

3. **Traits d'union dans les toponymes.**

   a) *Génériques.* — Les génériques de tous les toponymes ne sont pas liés aux spécifiques par un trait d'union.

le lac Brochet	le Grand lac Brochet

   b) *Spécifiques.* — Les spécifiques des toponymes administratifs prennent des traits d'union. Les spécifiques des toponymes naturels ne prennent pas de traits d'union. (Les toponymes administratifs sont à gauche, les toponymes naturels sont à droite, pour permettre la comparaison.)

le village de Mont-Louis	le ruisseau du Mont Louis
la ville de Deux-Montagnes	le lac des Deux Montagnes

4. **Exceptions aux traits d'union dans les spécifiques naturels.** — Les spécifiques naturels ne prennent pas, en principe, de traits d'union. Voici les exceptions à cette règle:

   a) Quand un spécifique naturel est composé d'un verbe et d'un substantif qui, ensemble, constituent une expression consacrée, les composants du spécifique sont liés par un trait d'union.

le lac Trompe-Souris	le lac Brise-Culotte
le ruisseau Vire-Crêpe	

   b) Quand un spécifique naturel est composé d'un prénom et d'un nom, d'un prénom double, de deux noms, d'un nom ou d'un prénom précédé d'un titre, d'un qualificatif ou d'un diminutif, d'initiales, on mettra les traits d'union entre les composants du spécifique.

le mont Raoul-Blanchard	le lac du Général-Tremblay

5. **Les mots *le, la, les.*** — Ces mots peuvent être de simples articles définis ou faire partie d'un nom propre.

   a) *Articles définis.* — Lorsque ces mots sont des articles définis, ils s'écrivent en bas de casse et ne prennent pas de traits d'union.

   la rue de la Paix

   b) *Rattachés à un nom propre.* — Lorsqu'ils font partie d'un nom propre, ces mots prennent la capitale, sans traits d'union. (Dans les exemples ci-dessous, les toponymes administratifs sont à gauche, les toponymes naturels sont à droite.)

Le Mercier (*canton*)	le lac Le Neuf
la ville de La Tuque	la rivière La Pause
Les Méchins (*municipalité*)	le ruisseau L'Espérance

   c) *Contractions.* — Ces mots se contractent au besoin.

   Nous nous sommes rendus aux Escoumins pour voir les baleines.
   Les habitants des Éboulements ont célébré la Saint-Jean.
   Nous irons à Trois-Rivières (*et non* aux Trois-Rivières).
   On se rend à Cap-de-la-Madeleine (*la ville*).
   On se rend au cap de la Madeleine (*le cap*).

6. Le mot *de*. — Ce mot peut être simple préposition ou particule rattachée à un nom de personne.

a) Préposition. — Quand il est préposition, ce mot s'écrit en bas de casse. Il n'est pas joint par un trait d'union quand il est au début du spécifique. Il prend des traits d'union quand il est au milieu d'un spécifique administratif.

    la rue de Normandie   la route du Bois-de-l'Ail

b) Particule rattachée à un nom de personne. — Dans ce cas, il s'écrit avec une capitale et sans trait d'union dans un toponyme naturel. Dans un toponyme administratif, il s'écrit avec une capitale, est relié par un trait d'union au mot qui précède s'il s'agit d'un prénom ou d'un titre, et n'est pas lié par un trait d'union au mot qui suit.

    le lac De Graves   la rue Samuel-De Champlain

c) Note. — La tendance actuelle est cependant d'éviter d'utiliser la particule *de* quand le nom propre n'est pas précédé du prénom.

    la rue Champlain

7. Les mots *haut* et *bas*.

a) Naturel. — Quand ces mots font partie d'un toponyme naturel, ils s'écrivent avec un bas de casse, sans trait d'union.

    le bas Saint-Laurent (*le cours inférieur du fleuve*)
    la haute Loire (*le cours supérieur du fleuve*)

b) Administratif. — Quand ces mots font partie d'un toponyme administratif, ils s'écrivent avec une capitale et un trait d'union.

    le Bas-Saint-Laurent (*division de recensement*)
    la Haute-Loire (*département français*)

8. Le mot *Saint*. — Le mot *Saint* prend toujours une capitale et un trait d'union, dans les spécifiques de tous les toponymes.

    la gare de Saint-Hilaire   le mont Saint-Hilaire

9. Rues. — Il faut toujours mentionner le générique quand on cite une rue, une avenue, etc. Il faut également utiliser la virgule.

    Je me rends au 224, avenue Dupont.
    et non pas:
    Je me rends au 224 Dupont.

10. Accents. — On doit utiliser tous les accents et les autres signes diacritiques sur toutes les capitales. (On ne met pas de point sur les lettres *I* majuscule et *J* majuscule.)

    La récolte de fraises fut très abondante aux Écureuils.
    Nous votons dans la division de recensement de l'Île-Jésus.
    Nous irons pêcher dans le lac Isabelle.

EMPLOI DES CAPITALES

Journaux

Rappelons que les titres de journaux, comme les titres d'ouvrages, doivent s'écrire en italique dans un texte en romain. Deux cas peuvent se présenter: *a)* le journal porte un titre en français; *b)* le journal porte un titre dans une autre langue.

Le journal porte un titre en langue française.

1. **Entier.** — Si le titre est employé en entier, il s'écrit en italique dans un texte en romain, et l'article défini prend la capitale. S'il y a contraction de l'article, celui-ci n'appartient plus au titre mais au texte et s'écrit donc en romain et en bas de casse.

   > Les journalistes de *La Presse* et du *Monde* ainsi que ceux du quotidien *Le Journal de Montréal* ont assisté à la réunion.

   Les titres sont en italique, les articles *La* et *Le* prennent la capitale, et l'article contracté «du» s'écrit en romain et en bas de casse.

2. **Elliptique.** — Si le titre n'est cité qu'en partie, l'article n'appartient plus au titre mais au texte. Il se met en romain et en bas de casse.

   > Nous lisons la *Voix* et aussi la *Tribune* tous les jours.

   Les articles «la» sont en romain et en bas de casse car les titres sont elliptiques. Les titres complets de ces journaux sont les suivants:

   > *La Voix de l'Est*   *La Tribune de Genève*

Le journal porte un titre dans une autre langue.

1. **Précédé du générique.** — Si le titre est précédé de son générique (journal, quotidien, revue, etc.), il s'écrit en italique et sous sa forme exacte, *non traduite.*

   > Les journalistes des journaux *The Gazette, Der Spiegel* et *Il Corriere italiano* étaient présents à la réunion.

   Les titres sont en italique et sous leur forme exacte, non traduite.

2. **Non précédé du générique.** — Si le titre n'est pas précédé de son générique, l'article est traduit en français et il fait partie du texte. Il se contracte au besoin et s'écrit en romain et en bas de casse.

   > Nous avons lu dans le *Corriere italiano* que les envoyés de la *Gazette* ainsi que ceux du *Spiegel* étaient présents à la réunion.

   Les titres ne sont pas précédés ici de leur générique. Les articles *Il, The* et *Der* sont traduits par «le», «la» et «du» contracté.

Titres d'ouvrages

Dans cet article, nous considérons les titres d'ouvrages suivants: livres, pièces de théâtre, films, journaux, chansons et peintures.

Principes généraux

a. *Le classement alphabétique* des ouvrages se fait d'après la *première* capitale qui apparaît dans le titre.

b. *L'article défini* (le, la, les) placé au début d'un titre n'entre pas dans la classification, excepté quand il est le premier mot d'un titre sous forme de proposition (voir règle 4 ci-dessous).

c. *L'italique* s'emploie pour les titres d'ouvrages dans un texte en romain, et le romain s'emploie pour les titres d'ouvrages dans un texte en italique.

d. *Le premier mot* d'un titre prend toujours une *capitale* initiale, même quand c'est un article défini. Cependant, certains auteurs préfèrent garder le bas de casse et l'italique à l'article défini.

e. *Texte courant.* Les règles ci-dessous sont données pour application dans un texte courant. Sur une couverture ou une affiche, elles peuvent ne pas être suivies, cela dépend de la fantaisie de l'artiste qui dessine ce titre.

Règles d'emploi des capitales

1. **Premier substantif.** — On met une capitale au premier substantif. L'article défini prend la capitale aussi car il est au début. Ces titres ne sont pas des propositions car il n'y a pas de verbe.

   Le Temps des hommes   *Les Cordes de bois*

2. **Premiers substantifs réunis par *et, ou.*** — On met une capitale aux deux éléments du titre.

   Les Uns et les Autres   *La Bourse ou la Vie*

3. **Adjectif précédant le substantif.** — Le premier substantif prend toujours la capitale s'il ne fait pas partie d'une proposition. Si un adjectif le précède, celui-ci prend aussi la capitale. Si l'adjectif est placé après, il prend un bas de casse.

   La Belle Bête   *Le Temps sauvage*

4. **Le titre est une proposition.** — Si le titre est une proposition, donc une phrase avec un verbe, et qu'il commence par l'article défini, *seul* l'article défini prend la capitale. Le classement alphabétique se fait d'après cette capitale.

   Les fées ont soif   *Le ciel se marie avec la mer*

5. **Le titre ne commence pas par l'article défini.** — Quand le titre commence par tout autre mot que l'article défini, on met une capitale au premier mot seulement.

   Au pied de la pente douce   *Ces enfants de ma vie*

Sociétés commerciales et autres

Liste de génériques

agence	boutique	compagnie	hôtel	office
association	brasserie	éditions	institut	ordre
assurances	café	établissements	librairie	restaurant
auberge	centre	firme	magasin	société
banque	cinéma	galerie	maison	syndicat
bibliothèque	club	hôpital	musée	théâtre

1. **Raison sociale exacte.** — Toutes les dénominations comportant les génériques ci-dessus suivront d'abord le principe *d* des capitales : s'il s'agit de la raison sociale exacte, elles s'écriront comme elles ont été enregistrées officiellement.

2. **Absence de la raison sociale.** — S'il ne s'agit pas de la raison sociale exacte, ou si on ne la connaît pas, on les écrira selon les principes *a*, *b* et *c* des capitales. (Bas de casse au générique s'il est suivi d'un nom propre ou d'un spécifique, capitale s'il est suivi d'un nom commun. Capitale à l'adjectif s'il est placé avant le spécifique.)

l'agence de voyages Candiac	l'Agence du livre français
l'association Les Amis du Sport	l'Association des libraires
les assurances Lanthier	les Assurances générales
l'auberge Mirabel	l'Auberge de l'aéroport
la banque Dupont	la Banque de commerce
la bibliothèque Dawson	la Bibliothèque nationale
la boutique Claudia	la Boutique d'artisanat
le café Durand	le Grand Café des amis
le centre Notre-Dame	le Centre de cardiologie
la compagnie Air France	la Compagnie de radiologie
les éditions Larousse	les Éditions françaises
la galerie d'art Roussil	la Galerie de la rive sud
l'hôpital Sainte-Justine	l'Hôpital général de Montréal
l'hôtel Bonaventure	l'Hôtel des arts
l'institut Jeanne-d'Arc	l'Institut d'hygiène alimentaire
la librairie Tranquille	la Librairie ancienne et moderne
le magasin Eaton	le Magasin général d'habillement
la maison Dupont	la Maison de la laine
le musée Marsil	le Musée des beaux-arts
le restaurant Saint-Hubert	le Restaurant de la gare
la société Dupont	la Société des traducteurs du Québec
le théâtre Denise-Pelletier	le Théâtre national de mime

3. **Services à l'intérieur d'une entreprise.** — Les services à l'intérieur d'une entreprise ne sont pas considérés comme des dénominations. Ils s'écrivent donc tout en bas de casse (principe *f* des capitales). Bien noter l'emploi des articles définis. (Chaque entreprise peut évidemment établir ses propres normes d'écriture.)

le bureau de la direction	le service de la comptabilité
le conseil d'administration	le service de l'entretien
le département des langues	le service du personnel
la salle d'attente	le service des ventes

Organismes nationaux uniques

Liste de génériques

administration	comité	inspection	sénat
archives	commissariat	institut	service
assemblée	commission	musée	société
bibliothèque	conseil	office	sûreté
bureau	cour	parlement	syndicat
caisse populaire	direction	régie	tribunal
centre	fonds	régime	
chambre	gouvernement	secrétariat	

Les dénominations des organismes nationaux uniques doivent suivre les principes *a* et *c* des capitales. (On met une capitale au premier substantif ainsi qu'à l'adjectif qui éventuellement le précède.)

l'Administration du fonds de relance industrielle
les Archives nationales du Québec
l'Assemblée nationale
la Bibliothèque nationale du Québec
le Bureau de la condition de la femme au travail
la Caisse populaire des fonctionnaires du Québec
le Centre de recherche industrielle du Québec
la Chambre des communes (les Communes)
le Comité de la protection de la jeunesse
le Commissariat de la construction
la Commission de surveillance de la langue française
le Conseil de la langue française
le Conseil des ministres
la Cour d'appel du Québec
la Cour des sessions de la paix
la Cour fédérale
la Cour provinciale du Québec
la Cour supérieure du Québec
la Cour suprême du Canada
la Direction générale de l'enseignement collégial
le Fonds de relance industrielle
le Gouvernement˺ (*mais* le gouvernement du Canada)
le Haut Commissariat canadien (*à Londres*)
l'Inspection du bâtiment
l'Institut québécois de recherche sur la culture
le Musée du Québec
l'Office de la langue française
le Parlement (*mais* le parlement d'Ottawa)
la Régie des loteries et courses du Québec
le Régime de rentes
le Secrétariat des politiques d'achat
le Secrétariat d'État
le Sénat
le Service des agents de voyages
la Société québécoise de développement des industries culturelles
la Sûreté du Québec
le Syndicat des fonctionnaires provinciaux
le Tribunal du travail

Organismes nationaux multiples

Liste de génériques

caisse populaire	cour municipale	observatoire
chambre de commerce	gouvernement	palais de justice
commission scolaire	hôtel de ville	parlement
conseil municipal	ministère	

1. Ces dénominations suivent le principe *b* des capitales. Le générique reste en bas de casse car il est suivi d'un spécifique (nom propre ou noms communs faisant office de noms propres).

> la caisse populaire de Chambly
> la chambre de commerce de Montréal
> la commission scolaire régionale Honoré-Mercier
> le conseil municipal de Saint-Lambert
> la cour municipale de Trois-Rivières
> le gouvernement du Québec
> l'hôtel de ville de Sorel
> le ministère des Affaires culturelles
> le ministère des Affaires intergouvernementales
> le ministère des Affaires municipales
> le ministère des Affaires sociales
> le ministère de l'Agriculture, des Pêcheries et de l'Alimentation
> le ministère des Communications
> le ministère des Consommateurs, Coopératives et Institutions financières
> le ministère de l'Éducation
> le ministère de l'Énergie et des Ressources
> le ministère de l'Environnement
> le ministère des Finances
> le ministère de la Fonction publique
> le ministère de l'Immigration
> le ministère de l'Industrie, du Commerce et du Tourisme
> le ministère de la Justice
> le ministère du Loisir, de la Chasse et de la Pêche
> le ministère du Revenu
> le ministère des Transports
> le ministère des Travaux publics et de l'Approvisionnement
> l'observatoire de Dorval
> le palais de justice de Rivière-du-Loup
> le parlement d'Ottawa

2. Quand ils sont employés seuls (de façon elliptique), certains de ces génériques prennent la capitale (principe *e*.2 des capitales).

la Chambre	le Gouvernement	le Palais
la Cour	le Ministère	le Parlement

Le principe d'unicité. — Les dénominations de ces deux pages (74 et 75) sont basées sur le principe d'unicité. Si l'organisme est unique dans un État, le générique prend la capitale. Si l'organisme n'est pas unique, le générique prend le bas de casse. Par exemple, la *Cour provinciale* est unique dans une province, mais il peut y avoir une *cour municipale* dans plusieurs villes. Le mot *ministère* pourrait être considéré comme une exception car il n'y a qu'un *ministère du Revenu*, et le générique devrait prendre la capitale. En fait, il y a plusieurs ministères dans un gouvernement, et c'est le mot *Revenu* qui spécifie la dénomination.

Organismes internationaux

Liste de génériques

agence	commission	ligue	parlement
alliance	communauté	marché	plan
association	conseil	mouvement	union
banque	cour	organisation	
bureau	fonds	pacte	

Les dénominations des organismes internationaux suivent les principes **a** et **c** des capitales. (On met une capitale au premier substantif ainsi qu'à l'adjectif si celui-ci est placé avant. Bas de casse au générique s'il est suivi d'un nom propre.)

l'Agence européenne pour l'énergie nucléaire
l'Alliance pour le progrès
l'Association européenne de libre-échange
la Banque internationale pour la reconstruction et le développement
le Bureau international du travail
la Commission européenne
la Communauté européenne du charbon et de l'acier
la Communauté européenne économique
les Communautés européennes
le Conseil de sécurité
le Conseil de tutelle
le Conseil économique et social
le Conseil européen de recherches nucléaires
la Cour internationale de justice
la Cour de justice
la Croix-Rouge (*raison sociale*)
le Fonds monétaire international
la Ligue arabe
le Marché commun
le Mouvement de la paix
l'Organisation de l'aviation civile internationale
l'Organisation de coopération et de développement économique
l'Organisation de l'unité africaine
l'Organisation des Nations Unies (*raison sociale*)
l'Organisation du traité de l'Atlantique Nord
l'Organisation du traité de l'Asie du Sud-Est
l'Organisation internationale du travail
l'Organisation mondiale de la santé
l'Organisation pour l'alimentation et l'agriculture
le Pacte atlantique
le pacte de Varsovie
le Parlement européen
le plan de Colombo
le plan Marshall
l'Unesco
l'Unicef
l'Union de l'Europe occidentale
l'Union européenne industrielle et financière

Fonctions et titres divers

1. **Bas de casse.** — Ces noms s'écrivent en bas de casse, que l'on parle de la personne ou que l'on s'adresse à elle.

l'abbé	l'émir	le premier ministre
l'académicien	l'empereur	*ou* le Premier ministre
l'archevêque	l'évêque	le président
le bonze	le frère	le président de la République
le calife	le gouverneur	le président-directeur général
le cardinal	l'impératrice	le prince
le censeur	le lord-maire	le professeur
le chancelier	le maire	le proviseur
le comte	maître Dupont	le raïs
le curé	la mère supérieure	le recteur
le dauphin	le ministre	la reine
le député	le négus	le révérend père
le directeur adjoint	le pape	le roi
le docteur	le père	le secrétaire général
le doyen	le pharaon	le sénateur
le duc	le préfet	le souverain pontife

2. **Capitales.**

a) Titres honorifiques. — Ceux-ci prennent une capitale à tous les mots, que l'on s'adresse à la personne ou que l'on parle d'elle.

Sa Majesté	Son Éminence
Sa Sainteté	Son Excellence
Sire	Votre Altesse

b) Titres employés seuls. — Quand le titre est employé seul et que la personne est bien identifiée par le contexte, certains de ces mots prennent la capitale (principe *e.*2 des capitales).

le Cardinal (Richelieu)	le Grand Dauphin (fils de Louis XIV)
le Caudillo (Franco)	le Pape (Pie VII)
le Duce (Mussolini)	le Père (Dieu)
l'Empereur (Napoléon Ier)	le Régent (Philippe d'Orléans)

Église

1. **Sens abstrait.** — Quand il désigne un pouvoir spirituel, donc quand il est employé dans un sens abstrait, ce mot s'écrit avec la capitale.

l'Église catholique	un homme d'Église
la sainte Église	les États de l'Église

2. **Sens concret.** — Quand il désigne un bâtiment, donc quand il est employé dans un sens concret, ce mot s'écrit avec un bas de casse.

une église gothique	aller à l'église
un chant d'église	l'église Notre-Dame de Montréal

Doctrines

1. En général, les noms des doctrines et de leurs adeptes s'écrivent en bas de casse. (Principe *f* des capitales.)

l'anglicanisme	l'épicurisme	le matérialisme
le bouddhisme	l'existentialisme	les musulmans
le cartésianisme	le fascisme	le naturisme
le catholicisme	l'hindouisme	le néo-classicisme
le christianisme	l'impressionnisme	le réalisme
le classicisme	les israélites	le romantisme
le communisme	le jansénisme	le stoïcisme
le cubisme	le judaïsme	le surréalisme
le despotisme	le libéralisme	le symbolisme
le dilettantisme	le marxisme	

2. L'usage a consacré certains noms de doctrines comme des noms propres. Ils suivent alors le principe *c* des capitales. (Capitale à l'adjectif s'il précède le spécifique.)

le Cénacle	la Nouvelle Vague	la Pléiade
l'Encyclopédie	le Parnasse	

Partis politiques

1. **Raison sociale.** — Si l'on connaît le libellé exact de la raison sociale, on doit écrire la dénomination en respectant l'orthographe sous laquelle elle a été enregistrée.

2. **Absence de la raison sociale.** — Si l'on ignore le libellé exact de la raison sociale, on met la capitale au premier substantif ainsi qu'à l'adjectif qui le précède.

le Nouveau Parti démocratique
le Parti communiste du Canada
le Parti communiste du Québec
le Parti communiste français
le Parti des travailleurs du Québec
le Parti libéral du Canada
le Parti libéral du Québec
le Parti progressiste conservateur
le Parti québécois
le Parti socialiste unifié
le Rassemblement des citoyens de Montréal
le Rassemblement du peuple français
l'Union nationale

3. **Membres et adhérents.** — Les noms des membres ou adhérents des partis politiques s'écrivent avec un bas de casse initial.

les communistes	l'extrême gauche	les progressistes conservateurs
les démocrates	les libéraux	les républicains
la droite	les maoïstes	les socialistes
la gauche	l'opposition	les sociaux-démocrates
l'extrême droite	les péquistes	les unionistes

Textes politiques

Liste de génériques

accord	chapitre	convention	loi
alliance	charte	décret	pacte
arrêté	code	droits	plan
article	constitution	entente	traité

Ces dénominations suivent le principe **a** des capitales. (Bas de casse au générique s'il est suivi d'un nom propre ou d'un numéro faisant office de nom propre, capitale s'il est suivi d'un nom commun ou d'un adjectif.)

les accords de Camp David
l'Alliance atlantique
l'arrêté du 15 mai 1981
l'article 107
le chapitre XV
la Charte de la langue française
le Code civil
le Code du travail
la Constitution canadienne
la convention de La Haye

le décret du 24 février 1982
les Droits de l'homme
l'Entente cordiale
la loi 101
la Loi sur les accidents du travail
le Pacte atlantique
le pacte de Varsovie
le plan Marshall
le traité de Versailles

Pays

Liste de génériques

confédération	empire	principauté	royaume
duché	État	république	union

1. Les dénominations de pays suivent les principes **a** des capitales. Bas de casse au générique s'il est suivi d'un nom propre, capitale s'il est suivi d'un nom commun ou d'un simple adjectif de nationalité.

la Confédération canadienne
le duché de Savoie
le grand-duché de Luxembourg
l'Empire britannique
l'empire des Indes
les États baltes
la principauté de Liechtenstein
la République arabe unie
la république populaire de Chine
le royaume du Laos
l'union de Birmanie
l'Union des républiques socialistes soviétiques

2. Certaines dénominations font exception à cette règle et suivent le principe **d** des capitales (raison sociale officielle).

les États-Unis d'Amérique
les États-Unis du Brésil
les États-Unis du Mexique

la République fédérale d'Allemagne
le Royaume-Uni

de (préposition ou particule)

Ce mot peut être une préposition ou une particule. Quand il fait partie d'un nom propre, c'est une particule, c'est-à-dire une préposition qui précède certains noms de famille mais qui n'est pas nécessairement un signe de noblesse. Dans un texte courant, quand la préposition et la particule sont côte à côte, on doit mettre la capitale à cette dernière.

1. **Précédée du prénom ou du titre.** — Quand la particule est précédée du prénom ou du titre, elle se met en bas de casse.

Philippe Aubert de Gaspé	Monseigneur de Laval
François Chavigny de Berchereau	le marquis de Montcalm
Claude de Ramezay	le duc de Lévis

2. **Non précédée du prénom ni du titre.** — Quand elle n'est pas précédée du prénom ni du titre, la particule prend une capitale.

la vie de De Gaspé	l'appel de De Gaulle

3. **Toponymes.** — Dans les toponymes (qu'ils soient administratifs ou naturels), la particule s'écrit avec une capitale et sans trait d'union. (La tendance est de supprimer la particule dans les toponymes.) S'il s'agit d'une simple préposition, celle-ci s'écrit en bas de casse et sans trait d'union.

le boulevard De Champlain	le mont De Lanaudière
le boulevard de Bretagne	le lac de la Demoiselle

Peuples et races

1. **Substantifs.** — Les noms de peuples, d'habitants et de races doivent s'écrire avec une capitale initiale. Si l'adjectif est placé après, il s'écrit en bas de casse et sans trait d'union. S'il est placé avant, il prend une capitale et un trait d'union.

les Anglo-Saxons	les Européens	les Blancs
les Canadiens français	les Montréalais	les Jaunes
les Nord-Américains	les New-Yorkais	les Noirs
les Québécois	les Parisiens	

2. **Adjectifs.** — Les adjectifs de peuples, d'habitants, de races et de langues s'écrivent en bas de casse et avec un trait d'union au besoin.

Elle aime la littérature canadienne-française.
Il est de race jaune. Elle apprend l'anglais.
Comment va votre Français? (*votre ami français*)
Comment va votre français? (*la langue française*)
Elle a été naturalisée canadienne (*adjectif attribut*).
Nous sommes québécois
mais: Nous sommes des Québécois.
Elle étudie les relations franco-belges.
Elle s'occupe de la politique ouest-allemande.

le, la

1. Nom propre. — Quand il fait partie d'un nom propre, l'article défini prend toujours la capitale initiale.

> Louise Le Moyne de Martigny
> Pierre Gaultier de Varennes de La Vérendrye
> Robert Cavelier de La Salle
> Roland Michel de La Galissonnière

2. Titre d'ouvrage.

a) Titre exact. — Si le titre est exact et complet, l'article défini en faisant partie s'écrit avec une capitale et en italique. Il s'écrit en bas de casse et en romain s'il ne fait pas partie du titre.

> J'ai vu *Le Choix des armes.*   J'ai lu le *Petit Larousse illustré.*

b) Titre elliptique. — Si le titre est cité en partie, l'article reste en romain et bas de casse. Il se contracte au besoin.

> Dans *Le Malade imaginaire,* Molière parle des médecins. (Titre exact.)
> Dans le *Malade,* Molière parle des médecins. (Titre elliptique.)
> Claude Fournier a fait la mise en scène des *Tisserands.*
> (Titre exact: *Les Tisserands du Pouvoir.*)

3. Toponyme.

a) Fait partie du nom propre. — Quand il fait partie d'un nom propre dans un toponyme, l'article défini s'écrit avec une capitale et sans trait d'union. (Les toponymes administratifs sont à gauche.)

> le parc de La Vérendrye   le ruisseau Le François
> la ville de La Tuque   le lac La Peltrie

b) Ne fait pas partie du nom propre. — Quand il ne fait pas partie du nom propre, l'article se met en bas de casse et sans trait d'union.

> la rue de la Poste   le lac de la Lampée
> l'avenue de la Gare   l'étang de la Lande

Styles artistiques

1. Personnage ou époque. — Quand la dénomination concerne soit un personnage, soit une époque historique, elle suit le principe *b* des capitales. Le générique reste en bas de casse et le spécifique prend la capitale. On n'emploie pas le trait d'union dans le spécifique.

> un buffet Henri II   une chaise Directoire
> un fauteuil Renaissance   un lit Louis XVI
> un meuble Empire   une table Louis XV

2. Genre artistique. — Quand le style est déterminé par un adjectif (ou un nom pris comme qualificatif), le tout reste en bas de casse.

> une cathédrale gothique   une chapelle romane
> une église rococo   un style baroque

Allégories, astres

1. **Noms propres.** — Les allégories et les astres (eux-mêmes) sont considérés comme des noms propres et s'écrivent avec une capitale. L'adjectif prend la capitale s'il est placé avant seulement.

> Vénus est la déesse de l'Amour.
> On dit que la Vérité sort du puits.
> La Mort est apparue au bûcheron de la fable.
> Nous admirons la Grande Ourse.
> La Lune a été conquise en 1969.
> La Terre et le Soleil sont les plus beaux des astres.

2. **Noms communs.** — Quand ils ne désignent pas l'astre lui-même ou qu'ils ne sont pas des allégories, ces mots restent en bas de casse.

> Une histoire d'amour, dire la vérité, la mort dans l'âme, un clair de lune, la terre est basse, un coucher de soleil.

Histoire

Cet article comprend: les âges d'époque, les événements historiques et les régimes politiques.

Liste de génériques

âge	époque	régime	révolution
confédération	ère	reich	
empire	monarchie	république	

1. **Dénominations.** — Les dénominations comportant ces génériques suivent les principes **a**, **c** et **e**.2 des capitales. (Bas de casse au générique s'il est suivi d'un nom propre, capitale s'il est suivi d'un nom commun. Capitale à l'adjectif si celui-ci est placé avant le spécifique. Capitale au générique s'il est employé seul, donc s'il est identifié facilement par le contexte.)

l'Ancien Régime	le Néolithique
l'Antiquité	la Renaissance
la Belle Époque	la République française
la Confédération canadienne	la République
l'Empire	la Troisième République (*ou:* IIIe)
le Second Empire	la révolution de 1789
ou: le second Empire	la Révolution (*de 1789*)
l'empire des Indes	la Ruée vers l'or
le Grand Siècle	les Temps modernes
la monarchie de Juillet	le Tertiaire
le Moyen Âge	le Troisième Reich (*ou:* IIIe)

2. **Noms communs.** — Quand il ne s'agit pas de dénominations, ces expressions s'écrivent en bas de casse. (Principe **f** des capitales.)

Le Canada est une confédération.	La France est une république.
l'âge du bronze	l'époque des croisades
l'âge du fer	l'ère chrétienne
l'âge de la pierre taillée	l'ère géologique

Guerres

Liste de génériques

bataille	croix	guerre
conseil	défaite	retraite
croisade	expédition	victoire

1. Si elles sont déterminées par un nom propre ou un nom faisant office de nom propre, ces dénominations suivent le principe **b** des capitales (bas de casse au générique et capitale au spécifique). Sinon, elles suivent le principe **f** des capitales car elles ne sont alors pas des dénominations.

la bataille de la Marne	la guerre civile
le conseil de guerre	la guerre éclair
les croisades	la guerre froide
la huitième croisade	la guerre des nerfs
la croix de guerre	la guerre sainte
la défaite de Waterloo	la guerre de Sécession
l'expédition des Dardanelles	les guerres de Religion
la guerre de Cent Ans	la retraite de Russie
la guerre de 1914-1918	la victoire de Verdun

2. Quand ces noms sont considérés comme des noms propres par l'usage, ils suivent le principe **c** des capitales. L'adjectif prend la capitale s'il précède le spécifique, le bas de casse s'il le suit.

la Grande Guerre	la Première Guerre mondiale
la Guerre folle	la Seconde Guerre mondiale

Sports

Liste de génériques

championnat	division	ligue
coupe	fédération	

1. **Dénomination complète.** — Si la dénomination est complète, elle suit le principe **a** des capitales. (Bas de casse au générique s'il est suivi d'un nom propre, capitale s'il est suivi d'un nom commun.)

le championnat de France	la Fédération française de rugby
la coupe Grey	la Ligue nationale de hockey
la Coupe du monde de football	la Ligue américaine de base-ball
la division VI	

2. **Dénomination elliptique.** — Certaines de ces dénominations, quand elles sont employées de façon elliptique, prennent une capitale. (Principe **e.2** des capitales.)

Ce joueur appartient à la Ligue nationale. Il joue dans la Nationale.
La Ligue américaine est une des ligues de base-ball.
L'Américaine est une des ligues de base-ball.

Manifestations

Liste de génériques

biennale	concile	congrès	festival	jeux	salon
carnaval	concours	coupe	fête	jours	tour
colloque	conférence	exposition	foire	prix	

1. En l'absence de la raison sociale, les manifestations périodiques de toutes sortes doivent s'écrire avec une capitale initiale au premier substantif seulement et à l'adjectif qui éventuellement le précède.

   la Biennale de Venise
   le Carnaval de Québec
   le Colloque international des linguistes
   le Concile de Vatican II
   le Concours Lépine
   la Conférence générale des poids et mesures
   le Congrès des fabricants de tissus
   la Coupe du monde, la Coupe Grey
   l'Exposition des arts graphiques
   le Festival de Cannes
   la Fête des vendanges
   la XIᵉ Foire de Grenoble
   les Jeux olympiques
   les Six Jours nord-américains de Montréal
   le Grand Prix de Monaco
   le Salon de l'automobile
   le Tour de France, le Tour du Québec

2. Pour les génériques *concours, prix* et *coupe*, on peut aussi appliquer le principe **a** des capitales (bas de casse au générique s'il est suivi d'un nom propre, capitale s'il est suivi d'un nom commun).

   le concours Lépine   la coupe Grey
   le prix Nobel   la Coupe du monde

   Si l'on adopte cette seconde méthode et que l'on trouve dans le même paragraphe *la Coupe du monde* et *la coupe Grey*, on écrira les deux génériques avec une capitale: *la Coupe du monde et la Coupe Grey.*

État

Ce mot s'écrit avec une capitale initiale quand il désigne un pays, un gouvernement ou une administration. Sinon, il prend un bas de casse.

un état d'âme	un des États unis d'Amérique
un état civil	une affaire d'État
les états généraux	un chef d'État
les États généraux (de 1789)	un coup d'État
un état des lieux	un homme d'État
un état-major	un ministre d'État
l'État-Major général	un secret d'État
un état de siège	le secrétaire d'État
l'État totalitaire	le tiers état
les États-Unis	(troisième ordre, ou bourgeoisie)

Saint *ou* sainte

1. **Le saint lui-même.** — Quand il s'agit du saint lui-même, le mot *saint* s'écrit en bas de casse, sans trait d'union. Il ne s'abrège pas.

    Nous célébrons la fête de saint Médard.
    Nous prions sainte Justine.
    Cette église est dédiée à sainte Anne.

2. **Autre chose que le saint lui-même.** — Quand le mot *saint* entre dans un *nom propre* ou la dénomination d'une *fête*, d'un *ordre*, d'un *bâtiment* ou d'un *toponyme* (administratif ou naturel), il s'écrit avec une capitale et un trait d'union.

    Charles-Augustin Sainte-Beuve est né en 1804.
    Nous viendrons à la Saint-Médard.
    L'ordre de Saint-Michel a été créé en 1469.
    Il travaille à l'hôpital Sainte-Justine.
    la ville de Saint-Lambert, le fleuve Saint-Laurent

3. **Abréviation.** — Bien qu'il soit conseillé de ne jamais abréger le mot *saint*, on peut, en cas de manque de place, abréger ce mot dans une adresse. Il s'écrit alors sans point abréviatif, avec un trait d'union.

    234, rue Ste-Catherine   130, boul. St-Joseph

4. **Orthographes diverses.** — Voici des exemples qui comprennent le mot *saint*. Bien noter l'emploi des capitales et des traits d'union.

la Sainte-Alliance	la sainte messe	la Sainte-Trinité
des saint-bernard	le Saint-Office	la Sainte Vierge
la sainte Bible	des saint-paulin	l'Écriture sainte
la sainte Église	le saint-père (le pape)	les Lieux saints
le Saint-Empire	le saint sacrement	la Semaine sainte
le Saint-Esprit	le Saint-Siège	la Terre sainte
la sainte Famille	des saint-simoniens	le Vendredi saint
des saint-honoré	la sainte table	la Ville sainte

Fêtes

Les dénominations des fêtes civiles ou religieuses suivent les principes *b* et *c* des capitales. Bas de casse au générique car il est suivi d'un spécifique. L'adjectif qui précède le spécifique prend aussi la capitale.

la fête des Mères	le Mardi gras	la Saint-Jean-Baptiste
la fête des Pères	le mercredi des Cendres	le Vendredi saint
la fête du Travail	la Mi-Carême	le 1er Mai
le jour de l'An	le Nouvel An	le 11 Novembre
le jour des Morts	le Premier de l'an	le 14 Juillet
le jour des Rois	la Saint-Jean	le dimanche de Pâques

Remarque. — On écrira: la fête de saint Valentin (le saint lui-même), *mais* la Saint-Valentin (la fête elle-même).

Dieux

1. **Noms propres.** — Quand ils désignent le personnage lui-même, ou s'il s'agit d'une expression synonyme, ces noms et les adjectifs qui les précèdent prennent la capitale.

le Bon Dieu	l'Enfant Jésus	le Messie	le Seigneur
le Christ	le Fils	le Prophète	le Tout-Puissant
le Ciel	Jésus-Christ	le Saint-Esprit	le Très-Haut

2. **Noms communs.** — Quand il ne s'agit pas du personnage lui-même, ces noms s'écrivent en bas de casse.

des christs en ivoire	le format jésus
le dieu de la guerre	un grand seigneur
les dieux du stade	un prophète de malheur

Bâtiments

Liste de génériques

abbaye	cathédrale	cour	gare	palais	statue
aéroport	chapelle	église	hôtel de ville	pont	temple
arc	château	fontaine	mairie	porte	tour
basilique	colonne	galerie	oratoire	prison	

1. **Dénomination complète.** — Quand la dénomination est complète, elle suit le principe *b* des capitales. Le générique reste en bas de casse et le spécifique prend la capitale.

l'abbaye de Port-Royal	la gare Centrale, la gare de l'Est
l'aéroport de Mirabel	l'hôtel de ville de Montréal
l'arc de César-Auguste	la mairie de Chicoutimi
la basilique du Sacré-Cœur	l'oratoire Saint-Joseph
la cathédrale de Chartres	le palais de justice de Montréal
la chapelle Sixtine	le pont Jacques-Cartier
le château Ramezay	la porte Saint-Denis
la colonne Vendôme	la prison des Baumettes
la cour de Marbre	la statue de la Liberté
l'église Saint-Thomas-d'Aquin	le temple de Quetzalcóatl
la fontaine des Innocents	la tour Eiffel
la galerie des Glaces	la tour de Pise

2. **Dénomination elliptique.** — Pour certaines de ces dénominations, l'usage a consacré la capitale quand le générique est employé seul et que le spécifique sous-entendu est bien identifié. (Principe *e*.2)

l'Arc de Triomphe (de l'Étoile, à Paris)
le Château (Ramezay, à Montréal)
l'Oratoire (Saint-Joseph, à Montréal)
le Palais (de justice, à Montréal)
le Temple (de Salomon, à Jérusalem)
la Statue (de la Liberté, à New York)
la Tour (Eiffel, à Paris)
la Tour (de Londres, à Londres)

Enseignement

Liste de génériques

académie	collège	école	lycée
cégep	conservatoire	faculté	polyvalente
centre	cours	institut	université

En l'absence de la raison sociale, les dénominations dans le domaine de l'enseignement suivent les principes *a*, *c* et *e*.2 des capitales. (Bas de casse au générique s'il est suivi d'un nom propre, capitale s'il est suivi d'un nom commun. Capitale à l'adjectif qui précède le spécifique. Si la dénomination est elliptique, le premier substantif prend la capitale, ainsi que l'adjectif qui le précède.)

> l'académie Goncourt
> l'Académie des sciences
> le cégep de Bois-de-Boulogne
> le centre Marie-Vincent
> le Centre de linguistique de l'entreprise
> le collège Stanislas
> le Collège de secrétariat moderne
> le conservatoire Lassalle
> Le Conservatoire national de musique
> le cours Simon
> le Cours de secrétariat moderne
> l'école élémentaire Brasseur
> l'École des hautes études commerciales
>   (*ou* les Hautes Études commerciales)
> l'École polytechnique
>   (*ou* Polytechnique)
> l'École romande des arts graphiques
> la faculté des sciences de l'université Concordia
> la Faculté
> l'institut Teccart
> l'Institut d'hygiène alimentaire
> le lycée Louis-le-Grand
> le Lycée français
> la polyvalente Gérard-Filion
> l'université McGill
> l'Université de Montréal (*raison sociale*)

Grades militaires

Ces noms suivent le principe *f* des capitales. Ils s'écrivent en bas de casse. Bien noter ceux qui prennent le trait d'union.

adjudant-chef	ingénieur général
amiral	lieutenant-colonel
brigadier-chef	maître principal
caporal-chef	maréchal
commandant en chef	médecin général
commissaire général	premier maître
contre-amiral	quartier-maître
général	sergent-major

Points cardinaux

1. **Liste.** — Nous considérons comme points cardinaux les mots : nord, sud, est, ouest, midi, centre, occident, orient, couchant et levant.

2. **Abréviations.**

   a) Seuls peuvent s'abréger les quatre premiers points cardinaux cités. Ces abréviations prennent un point abréviatif.

nord	N.	sud	S.
est	E.	ouest	O.

   b) On ne met de trait d'union qu'entre les termes ou groupes de termes désignant des aires de vent opposées.

   un vent N.-S.   un vent N.N.O.-S.S.E.

3. **Signes.** — Les minutes sont représentées par le signe simple appelé *prime*; les secondes par le signe double appelé *seconde*. Ces signes ne sont pas des apostrophes. On ne met pas de 0 devant un chiffre inférieur à 10.

   un point situé par 53° 8′ 25″ de latitude N.

4. **Capitales, bas de casse et traits d'union.**

   a) *Direction.* — S'ils désignent une direction, les points cardinaux s'écrivent en bas de casse et prennent un trait d'union entre eux.

   Le vent vient du sud-ouest.
   La maison est exposée au midi.
   La perturbation vient du centre du Québec.
   Nous marchons vers l'occident.
   Nous admirons le soleil couchant et le soleil levant.

   b) *Région.* — Quand les points cardinaux désignent une région, ils s'écrivent avec une capitale initiale et un trait d'union entre eux.

   Ils sont allés dans l'Extrême-Nord canadien.
   Ils vont en vacances dans le Sud.
   Nous avons parcouru les routes du Midi et du Centre.
   L'Orient et l'Occident ont des coutumes différentes.
   Les pays du Levant sont ceux de la côte orientale de la Méditerranée.

5. **Placement et traits d'union dans les toponymes.**

   a) *Adresse.* — Le point cardinal se place après le spécifique, sans virgule et avec une capitale initiale.

   135, rue Sainte-Catherine Est

   b) *Région.* — Le point cardinal s'écrit avec une capitale et un trait d'union s'il fait partie d'un substantif (qu'il soit placé avant ou après le nom propre). Il prend le bas de casse et le trait d'union s'il fait partie d'un adjectif de lieu.

   le Sud-Vietnam   Montréal-Est
   l'Amérique du Nord   la politique nord-américaine

Chapitre VII

ITALIQUE

Principes

a. ***Dactylographie.*** — Dans un texte dactylographié, on souligne d'un trait les mots que l'on désire en italique dans le texte imprimé. Il faut faire attention de ne souligner que les lettres devant être en italique, car l'opérateur suivra l'indication du trait. Le gras est souligné d'un trait ondulé, et le gras italique d'un trait ondulé et d'un trait droit.

b. ***Romain et italique.*** — La plupart du temps, un texte est composé en romain (droit). L'italique est utilisé avec le romain quand on veut faire *ressortir* un mot ou une expression. Par exemple, dans ce texte, le mot « ressortir » a été composé en italique afin d'attirer l'attention du lecteur sur ce verbe qui est le mot le plus important de la phrase. La seconde fois, le même mot a été mis entre guillemets car il a moins d'importance, il s'agissait seulement de le détacher du texte.

c. ***Italique et guillemets.*** — Dans un texte en romain, un mot composé en italique a sensiblement la même valeur qu'un mot composé en romain encadré de guillemets. Toutefois, l'italique est légèrement plus fort que les guillemets pour détacher un mot. On utilise donc, en *opposition* des deux, d'abord l'italique puis les guillemets. Il est évidemment inutile d'ajouter des guillemets à un mot en italique, le changement de face suffisant à détacher le mot.

> Dans ledit contrat, les mots *la Compagnie* signifient « la Compagnie d'assurances internationales ».

Règles de l'emploi de l'italique

1. **Titres d'ouvrages.** — Les titres d'ouvrages se mettent en italique. Le premier mot du titre prend une capitale. La ponctuation haute se met dans la face à laquelle elle appartient. La ponctuation basse reste dans la face du mot qu'elle touche.

> Avez-vous lu *Autant en emporte le vent?*
> J'ai relu *Le Misanthrope*, le *Médecin* et *Les Femmes savantes.*

> Le point d'interrogation (ponctuation haute) appartient au texte et non au titre. La virgule (ponctuation basse) appartient aussi au texte, mais elle reste en italique. L'article devant *Médecin* est en romain et en bas de casse car le titre est elliptique, le titre complet étant *Le Médecin malgré lui.*

2. **Notes de musique.** — Seule la note doit se composer en italique. Dans un titre d'œuvre (en italique) la note se met aussi en italique.

> un *fa* dièse   un *si* bémol   *Concerto en fa majeur*

3. **Lettres d'ordre.** — Dans une énumération, les lettres d'ordre se composent en italique. La parenthèse reste en romain.

> *a*)   *b*)   *c*)

4. **Lettres de référence.** — Les lettres de l'alphabet (quand elles sont citées) ou les lettres de référence se composent en italique.

> La lettre *m* est large.   La figure *b* nous montre la vue générale.

5. **Indications au lecteur.** — Celles-ci se composent en italique pour les détacher du texte car elles s'adressent au lecteur. Les parenthèses restent en romain. Les indications commencent par une capitale et la ponctuation se met à l'intérieur de la parenthèse fermante.

> (*Voir ce mot.*)   (*Voir page suivante.*)
> (*Suite de la page précédente.*)   (*Suite à la page 25.*)

6. **Latin.**

a) Locutions latines non francisées. — Les locutions latines non francisées se composeront en italique dans un texte en romain.

> | | | | |
> |---|---|---|---|
> | *ad hoc* | *bis* | *in extenso* | (*sic*) |
> | *a posteriori* | *ibidem* | *loc. cit.* | *ter* |
> | *a priori* | *idem* | *op. cit.* | *via* |

b) Locutions latines francisées. — La tendance actuelle est de franciser les locutions latines, c'est-à-dire de les écrire avec des accents. Quand elles sont francisées par l'usage, on les écrit dans la même face que le texte (en romain dans un texte en romain).

> | | | | |
> |---|---|---|---|
> | à postériori | mémento(s) | muséum(s) | tollé(s) |
> | à priori | mémorandum(s) | référendum(s) | ultimatum(s) |

7. **Langues étrangères.** — Un mot ou une expression dans une langue étrangère se met en italique dans un texte en romain.

> «Comment allez-vous?» se traduit par *How do you do?*

8. **Devises.** — Quelle que soit la forme sous laquelle elles sont citées (français ou langue étrangère), les devises s'écrivent en italique.

> La devise de Chaumont est: *Jamais sans toi.*
> le *soleil* de Louis XIV
> Eddie Hills a pour devise: *When you do something, do it right.*

9. **Réalisations techniques, créations commerciales.** — Elles s'écrivent en italique, avec une capitale initiale au spécifique.

> l'opération *Apollo 12*   le tailleur *Petit Prince*
> le programme *Gemini*   le parfum *Chanel n° 5*

10. **Véhicules.** — Les noms propres de véhicules s'écrivent en italique. La capitale se met au premier substantif ainsi qu'à l'adjectif qui éventuellement le précède. L'article défini se met en italique avec une capitale s'il fait indéniablement partie du nom propre.

> Cet été, Louise voguera au gré du vent sur *La Chamade.*
> La traversée s'est faite sur la *Ville d'Alger.*

11. **Marques de fabrique.** — Les noms propres de marques de fabrique se composent en romain, avec une capitale. Ils ne prennent pas la marque du pluriel.

> deux Boeing 747   quelques Martini
> cinq Renault   plusieurs Ricard

12. **Enseignes commerciales.**

a) Citées intégralement. — Quand elles sont citées intégralement, les enseignes se composent en italique. On met la capitale au premier mot, de même qu'aux noms et aux adjectifs importants.

> le restaurant *Aux Trois Mousquetaires*

b) Citées en partie. — Quand elles ne sont citées qu'en partie, les enseignes se composent en romain et on emploie les traits d'union dans le spécifique.

> le restaurant des Trois-Mousquetaires

13. **Livres.** — Dans les livres, on composera en italique les *avis de l'éditeur,* les *préfaces,* les *postfaces* et les longues citations dont on indique généralement la source.

14. **Dictionnaires.** — Dans les dictionnaires, les exemples sont donnés en italique pour les différencier du texte. Cette méthode s'applique en raison du manque de place pour donner les exemples dans un corps différent. Puisque les exemples sont donnés en italique entièrement, on ne peut pas appliquer les règles de l'emploi de l'italique. On utilise donc les guillemets pour détacher les mots qui devraient ressortir au moyen de l'italique seul.

La mise en page électronique

Avec un ordinateur personnel, la mise en page sur l'écran se fait à l'aide d'un logiciel spécial. Par exemple, la page entière d'un magazine peut être vue sur l'écran : titres, texte et dessins apparaissent en position. Le caractère est un caractère typographique, c'est-à-dire que les lettres ont des chasses (largeurs) différentes. Quand l'opérateur est satisfait de sa mise en page, il sort une épreuve de son imprimante à laser. Si celle-ci est une imprimante de haute qualité, il peut utiliser cette épreuve qui est prête à être photographiée pour l'impression offset. Sinon, il donnera sa disquette à son imprimeur, qui la passera sur sa photocomposeuse.

Quelques conseils :

1. Utiliser un caractère sansérif pour les titres et un sérif pour le texte.

2. Utiliser un corps de 10 points pour un livre et un corps de 8 ou 9 points pour un journal ou un magazine.

3. Le renfoncement des alinéas doit être proportionnel à la longueur des lignes : un cadratin jusqu'à 10 picas, deux cadratins pour 20 picas.

4. Plus les lignes sont longues, plus l'interligne doit être augmenté.

5. Mettre un mince filet vertical entre les colonnes pour faciliter la lecture.

6. Comparer deux pages qui se font face afin de vérifier l'aspect visuel.

7. Les pages paires doivent se placer à gauche, les pages impaires à droite.

8. Commencer un nouveau chapitre d'un livre sur la page impaire.

9. Placer les folios en haut, dans les coins extérieurs des pages.

10. Ne pas placer des titres de la même grosseur vis-à-vis l'un de l'autre.

11. Utiliser de préférence un format rectangulaire pour les photographies.

12. Les visages des photos doivent regarder vers l'intérieur de la page.

13. Les graphiques doivent être le plus près possible du texte correspondant.

14. Les filets encadrant une annonce doivent être gras si les caractères à l'intérieur du cadre sont gras.

15. Quand une colonne sort de la surface qui est couverte par le titre, elle ne doit pas commencer à une place plus haute que le titre.

16. Dans un titre centré, la longueur des lignes doit aller en diminuant.

17. Un sous-titre doit être plus près du texte qui suit que de celui qui précède.

18. Ne pas accepter une ligne creuse ni un mot seul en tête d'une colonne.

19. Ne pas commencer un paragraphe sur la dernière ligne d'une colonne.

20. Ne pas accepter en fins de lignes trop de lettres semblables, de mots semblables, ou de traits d'union à la suite.

21. Vérifier les lézardes, les rues, les cheminées : ce sont des lignes blanches (causées par les espaces intermots) qui semblent séparer une portion de texte en deux ou plusieurs morceaux. Les lézardes sont zigzagantes, les rues sont obliques, les cheminées sont verticales.

Titres et fonctions au féminin

Cette liste partielle est tirée de la brochure **Titres et fonctions au féminin: essai d'orientation de l'usage,** dans laquelle l'Office de la langue française propose des féminins. L'usage dira lesquelles de ces formes se seront imposées.

une agente
une agricultrice
une amatrice
une annonceure
une apparitrice
une arbitre
une architecte
une arpenteuse
une artisane
une assesseure
une assureuse
une auteure
une avocate
une banquière
une bâtonnière
une brigadière
une bruiteuse
une câbleuse
une cadette
une cadre
une camelot
une camionneuse
une capitaine
une caporale
une carreleuse
une censeure
une chargée de...
une chargeuse
une charpentière
une chauffeuse
une chef
une chercheuse
une chirurgienne
une chroniqueuse
une colonelle
une commandante
une commis
une commissaire
une consule
une contremaîtresse
une coopérante
une couturière
une couvreuse
une critique
une débardeuse
une découvreuse

une députée
une détective
une diplomate
une docteure
une ébéniste
une économe
une économiste-conseil
une écrivaine
une encodeuse
une entraîneuse
une équarrisseuse
une experte
une experte-comptable
une fabricante
une factrice
une financière
une fondeuse
une foreuse
une forgeronne
une fournisseuse
une fraiseuse
une garde
une générale
une géomètre
une gouverneure
une graveuse
une greffière
une guide
une huissière
une indicatrice
une industrielle
une ingénieure
une ingénieure-conseil
une institutrice
une intendante
une intérimaire
une juge
une jurée
une juriste
une lamineuse
une lieutenante
une machiniste
une magasinière
une magistrate
une mairesse
une maître

une mannequin
une manoeuvre
une marin
une matelot
une médecin
une menuisière
une metteure en...
une ministre
une modiste
une navigatrice
une notaire
une officielle
une officière
une oratrice
une orfèvre
une outilleuse
une patrouilleuse
une paysagiste
une pédologue
une peintre
une pilote
une plombière
une poète
une policière
une pompière
une potière
une préfète
une présidente
une professeure
une rapporteuse
une rectrice
une régisseuse
une réviseure
une savante
une scrutatrice
une sculpteure
une secrétaire
une sénatrice
une sergente
une soldate
une substitut
une superviseure
une surintendante
une tailleuse
une traiteuse

Pour la rédaction de textes non sexistes, voir la brochure **Pour un genre à part entière,** écrite par la Coordination à la condition féminine du ministère de l'Éducation du Québec. Les Publications du Québec.

Index

Les chiffres renvoient aux pages.

o.i. organismes internationaux
o.m. organismes nationaux multiples
o.u. organismes nationaux uniques

s.c. sociétés commerciales
t.a. toponymes administratifs
t.n. toponymes naturels

A

abréviations 39
  capitales 40
  dans les toponymes 68
  liste 44
  pluriel 40
  ponctuation 40
académie (enseign.) 87
accents 62
  sur les capitales 65, 70
accord (texte pol.) 79
acronyme 41
administration (o.u.) 74

adresse 36, 52
âge 37
  (histoire) 82
agence (s.c.) 73
  (o.i.) 76
allégories, astres 82
alliance (o.i.) 76
  (texte pol.) 79
alinéa (composition en) 14
apostrophe (signe) 57, 62
apostrophe (rhétorique) 52
appels de notes 15

apposition 52
approche 10
arrêté (texte pol.) 79
article (numéros d') 36
  (texte pol.) 79
assemblée
  (o.u.) 74
association (s.c.) 73
  (o.i.) 76
assurances (s.c.) 73
avenue (t.a.) 67

B

baie (t.n.) 67
banque (s.c.) 73
  (o.i.) 76
barre oblique 62
bas (dans un toponyme) 70
bas de casse 64, 65
base (ligne de) 11

bateau (véhicule) 91
bâtiments 86
bibliothèque (s.c.) 73
  (o.u.) 74
blanc (race blanche) 80
bon à composer 20, 22
bon à tirer 20

boulevard (t.a.) 67
bromure 9, 24
bureau
  (o.u.) 74
  (o.i.) 76

C

cadratin 12, 13
caisse populaire (o.u.) 74
  (o.m.) 75
calibrage du texte 22
cap (t.n.) 67
capitales 63, 64
  principes 66
  dans les toponymes 68
car 54
cardinal 77
carré (composition au) 14
cartes à jouer 37
cathédrale (bât.) 86
cégep (enseign.) 87
centre (s.c.) 73
  (o.u.) 74
  (enseign.) 87
  (point cardinal) 88
c'est 53
chambre (o.u.) 74
chambre de com. (o.m.) 75
championnat (sports) 83
chapitre 16
  (texte pol.) 79
charte (texte pol.) 79
chasse 11

château (bât.) 86
chef (trait d'union) 59
chemin (t.a.) 67
chic (trait d'union) 59
chiffres romains 37
cinéma (s.c.) 73
circulaires 36
citation 58
classes d'écoles, trains 37
clé (trait d'union) 59
clichés 20
code (texte pol.) 79
code postal 52
collège (enseign.) 87
comité (o.u.) 74
commission (o.u.) 74
  (o.m.) 75 (o.i.) 76
communauté (o.i.) 76
compagnie 40
  (s.c.) 73
compl. d'objet direct 53
compos. typographiques 14
comté (t.a.) 67
concours (manif.) 84
condensé ou élargi 11

confédération (pays) 79
  (histoire) 82
congrès (manif.) 84
conseil
  (o.u.) 74
  (o.i.) 76
  (de guerre) 83
conseil municipal
  (o.m.) 75
constitution (texte pol.) 79
convention (texte pol.) 79
corps 11
correcteur d'épreuves 24
correction (signes) 26, 27
côte (t.a.) 67
couchant, levant 88
coupe (sport) 83, 84
coupures 31
cour (o.u.) 74
  (o.i.) 76
  (bât.) 86
cour municipale (o.m.) 75
cours (enseign.) 87
cours (t.a.) 67
creuse (ligne creuse) 9
crochets 61

D

dactylographie 23
date 46, en chiffres 36
de (particule) 80
  dans les toponymes 70
décret (texte pol.) 79
degré Celsius 43, 45
degré d'angle 88
demi, quart, trois quarts 47

dénomination 64, 65
départements internes 73
deux-points 56
devises 91
dialogue 58
dieux 86
directeur 77
direction (o.u.) 74

disquette à l'imprimeur 23
division typogr. 31, 32
division (sports) 83
doctrines 78
dollars et cents 38
drapeau (en) 14
droite (parti pol.) 78
droits (texte pol.) 79
durée 36, 47

E
éclair (trait d'union) 59
école (enseign.) 87
éditions (s.c.) 73
église 77, 86
elliptique (dénom.) 66
empire
  (pays) 79
  (style artistique) 81
  (histoire) 82
enseignement 87

enseignes
  commerciales 65, 91
entente (texte pol.) 79
énumérations 16
époque (histoire) 82
espace fine 12, 13
espace justifiante 13
espace variable 13
espaces fixes 12
espaces typographiques 12

espacements
  en dactylographie 23
  des nombres 37
  des symboles 43
  de la ponctuation 50
et (conjonction) 53
état 84
  (pays) 79
etc. 41
exposition (manif.) 84

F
face 10
faculté (enseign.) 87
famille de caractères 10, 22
fantaisie (trait d'union) 59
fédération (sports) 83
féminisation 93
fer 8

festival (manif.) 84
fêtes 85
  (manif.) 84
fleuve (t.n.) 67
foire (trait d'union) 59
  (manif.) 84
fonctions et titres divers 77

fonds (o.u.) 74
  (o.i.) 76
fonte 10, 22
fractions 37
francs ou dollars 38

G
galerie (s.c.) 73
gare (bât.) 86
gauche (parti pol.) 78

générique 64, 67
gouvernement (o.u.) 74
  (o.m.) 75

grades militaires 87
guerres 83
guillemets 57

H
haut (toponyme) 70
heure 47

histoire 82
hôpital (s.c.) 73

hôtel (s.c.) 73
hôtel de ville (bât.) 86

I
île (t.n.) 67
imprimante 8
incise 53, 58
informatique 8
inspection (o.u.) 74

institut
  (s.c.) 73
  (o.u.) 74
  (enseign.) 87
interjection 57

interligne 11
inversion 53
italique 89
  règles 90
  dans les livres 91

J
jaune (race) 80
jeux (manif.) 84

journaux (titres de) 71
jours (manif.) 84

justification 9

K
kilogramme 43, 45

kilomètre 43, 45

kilooctet 9, 45

L
lac (t.n.) 67
langues 80
langues étrangères 90
latin 90
le, la 81
légendes 51

lettres d'ordre 90
lettres de référence 90
librairie (s.c.) 73
ligue (o.i.) 76
  (sports) 83
litre 45

livre (mesure) 51
loi (numéro de) 36
  (texte pol.) 79
loterie (numéros de) 36
lycée (enseign.) 87

M
mairie (bât.) 86
mais 54
maison (trait d'union) 59
  (s.c.) 73
manifestations 84
maquettiste 20
marche 30
marché (o.i.) 76
marques de fabrique 91

marqueur de copie 22
mémoire vive 9
mer (t.n.) 67
mère (trait d'union) 59
mesures typographiques 12
mètre 42
midi (point card.) 88
ministère (o.m.) 75
ministre 77
  (trait d'union) 59

mise en page
  électronique 92
modèle (trait d'union) 59
moment précis 36, 47
monarchie (histoire) 82
monsieur, madame 48
mont (t.n.) 67
montage 9
musée (s.c.) 73
  (o.u.) 74

N
ni 54
noir (race noire) 80
noms propres
  définition 64
  capitales 65

nombres 35
  principes 35
  règles 36
nord, sud, est, ouest 88
notes et appels de notes 15

notes de musique 90
nouvelle vague 78
numéro 41
numéro d'ordre 36

O
observatoire (o.m.) 75
occident, orient 88
océan (t.n.) 67
octet 9, 45
oeil 10, 22
office (s.c.) 73 (o.u.) 74
offset 7, 9

once (mesure) 45, 51
opérateur 24
opposition (parti pol.) 78
oratoire (bât.) 86
ordinateur 8, 23, 92
ordre (s.c.) 73
organisation (o.i.) 76

organismes
  nationaux uniques 74
  nationaux multiples 75
  internationaux 76
ou (conjonction) 54
ouvrages (titres d') 72
italique 90

P
pacte (o.i.) 76
  (texte pol.) 79
pages (numéros de) 36
palais de justice (o.m.) 75
pape 77
paragraphe 16
parc (t.a.) 67
parenthèses 61
parlement
  (o.u.) 74
  (o.m.) 75
  (o.i.) 76
partis politiques 78
pavé (composition en) 14
pays 79
peuples et races 80

pica 12
pied, pouce 45, 51
pilote (trait d'union) 59
place (t.a.) 67
plan (o.i.) 76
  (texte pol.) 79
point (ponctuation) 51
  dans les adresses 51
  dans les titres 51
  avec les guillemets 51
  avec les parenthèses 51
point d'exclamation 56
point d'interrogation 56
point typographique 12
point-virgule 56
points cardinaux 88

points de suspension 55
ponctuation 49
  basse et haute 50
  face et espacement 50
pont (bât.) 86
pouce (mesure) 51
pourcentages 36
premier, deuxième 44
première (épreuve en) 20
premier ministre 77
prénoms 60
préparateur de copie 21
président 77
principauté (pays) 79
prix (manif.) 84
professeur 77

Q
que 53

qui 53

R
races 80
raison sociale 54, 65, 66
réalisations techniques 91
record (trait d'union) 59
rédacteur 18
régie (o.u.) 74

régime (o.u.) 74
  (histoire) 82
renfoncement 9
république
  (pays) 79
  (histoire) 82
restaurant (s.c.) 73

révolution (histoire) 82
rive (t.n.) 67
rivière (t.n.) 67
roi 77
royaume (pays) 79
rue (t.a.) 67, 70

S
saint 85
  (toponyme) 70
salon (manif.) 84
sa majesté 77
secrétariat (o.u.) 74
section 16
sénat (o.u.) 74
séparation 31, 34
sérif, sansérif 10
service (o.u.) 74
services internes 73
siècle 37
sigles 41

sire 77
sociétés commerciales 73
société
  (s.c.) 73
  (o.u.) 74
sommaire (en) 14
souverain pontife 77
spécifique 64, 67
sport (trait d'union) 59
sports 83
standard (trait d'union) 59
station de métro 67
styles artistiques 81

subordonnée 53
sujet 53
sûreté (o.u.) 74
surprise (trait d'union) 59
symboles 43
  liste partielle 45
syndicat
  (s.c.) 73
  (o.u.) 74
système décimal 42
système international
  d'unités (SI) 42
système métrique 42

T
tableaux 38, 57
témoin (trait d'union) 59
théâtre (s.c.) 73
tirets 51, 61
titres d'ouvrages 72, 81, 90
titres au féminin 93
toponyme 67
tour (manif.) 84 (bât.) 86

trait d'union 59
  définition 31
  espacement 59
  apposition 59
  fonctions ou métiers 59
  capitales 60
  sociétés commerciales 60
  avec l'impératif 61

  dans les nombres 60
  dans les surnoms 60
  dans les toponymes 69
traité (texte pol.) 79
tréma 62
tribunal (o.u.) 74
type (trait d'union) 59
typographe 24

U
un 37
union (o.i.) 76, (pays) 79

unité typographique 12, 13
université (enseign.) 87

V
vedette (trait d'union) 59
véhicules 91
ville 67

virgule 52
  décimale 52
  avec la parenthèse 54

avec le point d'excl. 54
dans les bibliographies 54
votes 37

.cipes des capitales

Bas de casse au générique s'il est suivi d'un nom propre, capita est suivi d'un nom commun[1].

le musée Marsil   l'Académie des sciences

Le générique *musée* est suivi d'un nom propre, tandis que générique *Académie* est suivi d'un nom commun.

b.   Bas de casse au générique s'il est suivi d'un spécifique.
Ce spécifique peut être un nom commun (ou un adjectif) faisant office de nom propre. Dans les dénominations

le ministère des Finances   le lac Vert

les génériques *ministère* et *lac* sont suivis respectivement d'un nom commun et d'un adjectif qui font office de noms propres.

c.   Capitale à l'adjectif s'il est placé avant, bas de casse s'il est après.

la Belle Époque   les Temps modernes

L'adjectif *Belle* précède le spécifique, l'adjectif *modernes* le suit.

d.   La raison sociale élimine toutes les règles.
S'il s'agit de la raison sociale exacte, il faut écrire la dénomination comme elle a été enregistrée officiellement. Ainsi les dénominations

l'Université de Montréal   la Banque Royale du Canada

contredisent les principes *a* et *c* mais ce sont les raisons sociales.

e.   Dénomination elliptique (dénomination citée en partie).

1. La dénomination elliptique garde la capitale seulement si elle est précédée du même article défini.

La Société des gens de lettres a étudié la question. Puis la Société a pris une décision. Cette société est très active.

2. Quand le contexte ne laisse aucun doute sur l'identité de la dénomination elliptique, celle-ci prend la capitale.

l'oratoire Saint-Joseph de Montréal   (l'Oratoire)
le gouvernement du Québec   (le Gouvernement)

f.   Bas de casse partout si ce n'est pas une dénomination.

la salle d'attente
le conseil d'administration

---

1. Quand le nom propre est un nom de lieu, il se peut qu'il ne fasse pas vraiment partie de la dénomination. Dans la phrase *Nous sommes allés aux Jeux olympiques de Montréal*, le mot «Montréal» est un nom propre, et *jeux* devrait s'écrire en bas de casse, selon le principe *a*. Mais *Montréal* ne fait pas partie de la dénomination, il indique seulement où avaient lieu les Jeux olympiques.

TOPONYMIE
Définitions

1. **Toponyme.** — Il s'agit du terme employé pour désigner les noms de lieux ou noms géographiques. Il y a deux classes principales : les toponymes *administratifs* et les toponymes *naturels*.

2. **Toponyme administratif.** — On entend par toponyme administratif un nom de lieu désignant un espace dont les limites ont été imaginées ou choisies par l'homme.

   la rue Crémazie

   est un toponyme administratif car les limites de la rue ont été fixées par l'homme et non par la nature. Un toponyme administratif sert à l'administration municipale ou à l'administration des Postes.

3. **Toponyme naturel.** — Un toponyme naturel est un nom de lieu qui désigne un espace façonné par la nature.

   le lac Noir

   est un toponyme naturel car le lac n'a pas été délimité par l'homme.

4. **Générique.** — Le générique est le nom commun qui sert à désigner le type d'entité géographique.

   rue, ville, gare, comté   lac, mer, mont, rivière

   sont des génériques. Ceux de gauche sont appelés des *génériques administratifs*, ceux de droite sont des *génériques dits naturels*.

5. **Spécifique.** — Le spécifique est l'élément qui sert à spécifier la dénomination. Il doit toujours s'écrire avec une capitale initiale.

   la gare Centrale   le lac Vert
   la rue Papineau   la rivière aux Outardes

   Les mots *Centrale*, *Papineau*, *Vert* et *Outardes* sont les spécifiques.

Liste de génériques de toponymes **administratifs**

aéroport	chemin	div. de recens.	localité	place	station
autoroute	commune	faubourg	mairie	promenade	ville
avenue	comté	gare	municipalité	province	
boulevard	côte	hameau	parc	rond-point	
bur. de poste	cours	hôtel de ville	paroisse	rue	
canton	district	impasse	passage	square	

Liste de génériques de toponymes **naturels**

aiguille	cime	étang	mer	pointe	ruisseau
anse	col	fleuve	mont	prairie	val
arête	coulée	glacier	montagne	presqu'île	vallée
baie	crête	golfe	océan	rapide	vallon
bassin	crique	île	péninsule	rive	
cap	dent	lac	pic	rivière	
chute	détroit	massif	plaine	rocher	

Rappelons que tous les mots qui se trouvent au *début* d'une phrase ou d'une enseigne prennent la capitale initiale. Nous considérons donc le cas des majuscules seulement quand le toponyme se trouve à l'*intérieur* d'une phrase.

1. Abréviations.

a) *Générique.* — On ne doit pas abréger le générique d'un toponyme naturel dans une phrase. Il est permis de l'abréger en cartographie. On écrit au long le générique d'un toponyme administratif dans une phrase. On peut l'abréger dans une adresse.

J'aime la rivière des Prairies.	Riv. des Prairies (*cartographie*)
J'habite au 224, avenue Dupont.	224, av. Dupont (*adresse*)

b) *Spécifique.* — En général, il est recommandé de ne pas abréger les spécifiques (administratifs ou naturels). Pourtant, dans les cas de manque de place *évident,* on permet l'abréviation des mots suivants dans les spécifiques:

Écriture recommandée	*Abréviations permises*
Saint-	St-
Sainte-	Ste-
Notre-Dame-	N.-D.-
Nord	N.
Sud	S.
Est	E.
Ouest	O.

On peut abréger les composés des points cardinaux. Par exemple:

Écriture recommandée	*Abréviations permises*
Nord-Est	N.-E.
Sud-Ouest	S.-O.

2. Capitales.

a) *Génériques.* — Les génériques de tous les toponymes sont en bas de casse. Quand un adjectif précède le générique, cet adjectif fait partie du spécifique (il le qualifie). Il prend donc la capitale. Dans les exemples à droite, seul le mot *lac* est le générique. Les mots *Petit* et *Clair* sont les composants du spécifique.

la rue Papineau	le lac Clair
la baie James	le Petit lac Clair

b) *Spécifiques.* — Les composants des spécifiques de tous les toponymes prennent la capitale, excepté les articles, les prépositions et les pronoms quand ils sont à l'intérieur du spécifique. L'article défini (le, la, les) prend la capitale seulement quand il fait partie d'un nom propre.

la mairie de Saint-Denis-sur-Mer	la ville de Sainte-Anne-des-Monts
le lac de la Cigarette	la rivière au Chien Rouge
la rivière de l'Anse à Beaufils	le lac Le Gardeur
la rue du Chat-qui-Pêche	la rivière Qui-Mène-du-Train